は　じ　め　に

技能検定は、労働者の有する技能を一定の基準によって検定し、これを公証する国家検定制度であり、技能に対する社会一般の評価を高め、働く人々の技能と地位の向上を図ることを目的として、職業能力開発促進法に基づいて1959年（昭和34年）から実施されています。

当研究会では、1975年（昭和50年）から技能検定試験受検者の学習に資するため、過去に出題された学科試験問題（１・２級）に解説を付して、「学科試験問題解説集」を発行しております。

このたびさらに、令和３・４・５年度に出題された学科試験問題、ならびに令和５年度の実技試験問題を「技能検定試験問題集（正解表付き）」として発行することになりました。

本問題集が１級・２級の技能士を目指して技能検定試験を受検される多くの方々にご利用いただき、大きな成果が上がることを祈念いたします。

令和６年４月

一般社団法人 雇用問題研究会

目　　次

はじめに
技能検定の概要 …… 5
技能検定の受検に必要な実務経験年数一覧 …… 8
都道府県及び中央職業能力開発協会所在地一覧 …… 9

【造園】
Ⅰ　実技試験問題（令和５年度）
　１　造園工事作業
　　２級 …… 12
　　１級 …… 18

Ⅱ　学科試験問題
　１　造園工事作業
　　２級　令和５年度 …… 26
　　　　　令和４年度 …… 34
　　　　　令和３年度 …… 42
　　１級　令和５年度 …… 50
　　　　　令和４年度 …… 58
　　　　　令和３年度 …… 66

Ⅲ　正解表
　学科 …… 74

技能検定の概要

1　技能検定試験の等級区分

技能検定試験は合格に必要な技能の程度を等級ごとに次のとおりに区分しています。

特　　級：検定職種ごとの管理者又は監督者が通常有すべき技能及びこれに関する知識の程度

１　　級：検定職種ごとの上級の技能労働者が通常有すべき技能及びこれに関する知識の程度

２　　級：検定職種ごとの中級の技能労働者が通常有すべき技能及びこれに関する知識の程度

３　　級：検定職種ごとの初級の技能労働者が通常有すべき技能及びこれに関する知識の程度

単一等級：検定職種ごとの上級の技能労働者が通常有すべき技能及びこれに関する知識の程度

※これらの他に外国人実習生等を対象とした基礎級があります。

2　検定試験の基準

技能検定は、実技試験及び学科試験によって行われています。

実技試験は、実際に作業などを行わせて、その技量の程度を検定する試験であり、学科試験は、技能の裏付けとなる知識について行う試験です。

実技試験及び学科試験は、検定職種の等級ごとに、それぞれの試験科目及びその範囲が職業能力開発促進法施行規則により、また、その具体的な細目が厚生労働省人材開発統括官通知により定められています。

(1)　実技試験

実技試験は、実際に作業（物の製作、組立て、調整など）を行わせて試験する、製作等作業試験が中心となっており、検定職種の大部分のものについては、その課題が試験日に先立って公表されています。

試験時間は、１級、２級及び単一等級については原則として５時間以内、３級については３時間以内が標準となっています。

また、検定職種によっては、製作等作業試験の他、実際的な能力を試験するため、次のような判断等試験又は計画立案等作業試験が併用されることがあります。

① 判断等試験

判断等試験は、製作等作業試験のみでは技能評価が困難な場合又は検定職種の性格や試験実施技術等の事情により製作等作業試験の実施が困難な場合に用いられるもので、例えば技能者として体得していなければならない基本的な技能について、原材料、模型、写真などを受検者に提示し、判別、判断などを行わせ、その技能を評価する試験です。

② 計画立案等作業試験

製作等作業試験、判断等試験の一方又は双方でも技能評価が不足する場合に用いられるもので、現場における実際的、応用的な課題を、表、グラフ、文章などにより設問したものを受検者に提示し、計算、計画立案、予測などを行わせることにより技能の程度を評価する試験です。

(2) 学科試験

学科試験は、単に学問的な知識を試験するものではなく、作業の遂行に必要な正しい判断力及び知識の有無を判定することに主眼がおかれています。また、それぞれの等級における試験の概要は次表のとおりです。

この中で、真偽法は一つの問題文の正誤を解答する形式であり、五肢択一法及び四肢択一法は一つの問題文について複数の選択肢の中から一つを選択して解答する形式です。

■学科試験の概要

等級区分	試験の形式	問題数	試験時間
特　　級	五肢択一法	50 題	2 時間
1　　級	真偽法及び四肢択一法	50 題	1 時間 40 分
2　　級	真偽法及び四肢択一法	50 題	1 時間 40 分
3　　級	真偽法	30 題	1 時間
単一等級	真偽法及び四肢択一法	50 題	1 時間 40 分

3　技能検定の受検資格

技能検定を受検するには、原則として検定職種に関する実務の経験が必要で、その年数は職業訓練歴、学歴等により異なっています（別表 1 参照）。

この実務の経験の範囲には、現場での作業のみならず管理、監督、訓練、教育及び研究の業務や訓練又は教育を受けた期間が含まれます。

4　試験の実施日程

技能検定試験は職種ごとに前期、後期に分かれていますが、日程の概要は次のとおりです。

項	前　期	後　期
受付期間	4月上旬～中旬	10月上旬～中旬
実技試験	6月上旬～9月上旬 9月中旬～11月中旬※	12月上旬～翌年2月中旬
学科試験	8月下旬～9月上旬の日曜日 3級は7月上旬～中旬の日曜日	翌年1月下旬～2月上旬の日曜日
合格発表	10月上旬、3級は8月下旬 10月中旬～11月下旬※	翌年3月中旬

※暑熱対応のため延期する場合（造園職種・とび職種に限る）

・日程の詳細については都道府県職業能力開発協会（連絡先等は別表2参照）にお問い合わせ下さい。

5　技能検定の実施体制

技能検定は厚生労働大臣が定めた、実施計画に基づいて行うものですが、その実施業務は、厚生労働大臣、都道府県知事、中央職業能力開発協会、都道府県職業能力開発協会等の間で分担されており、受検の受付及び試験の実施については、都道府県職業能力開発協会が行っています。

6　技能検定試験受検手数料

技能検定試験の受検手数料は「実技試験：18,200円」及び「学科試験：3,100円」を標準額として、職種ごとに各都道府県で決定しています（令和6年4月1日現在、都道府県知事が実施する111職種）。

なお、25歳未満の在職者の方は、2級又は3級の実技試験の受検手数料が最大9,000円減額されます。詳しくは都道府県職業能力開発協会にお問い合わせ下さい。

7　技能検定の合格者

技能検定の合格者には、厚生労働大臣名（特級、1級、単一等級）又は都道府県知事名等（2級、3級）の合格証明が交付され、技能士と称することができます。

別表1

技能検定の受検に必要な実務経験年数一覧

（都道府県知事が実施する検定職種）

（単位：年）

<table>
<tr><td colspan="2" rowspan="2">受　検　対　象　者
（※1）</td><td>特級</td><td colspan="3">1　級</td><td colspan="2">2　級</td><td rowspan="2">3
級
（※6）</td><td rowspan="2">基礎級
（※6）</td><td rowspan="2">単一等級</td></tr>
<tr><td>1　級
合格後</td><td></td><td>2　級
合格後</td><td>3　級
合格後</td><td>（※6）</td><td>3　級
合格後</td></tr>
<tr><td colspan="2">実務経験のみ</td><td rowspan="15">5</td><td>7</td><td rowspan="10">2</td><td rowspan="10">4</td><td>2</td><td rowspan="13">0</td><td>0 ※7</td><td>0 ※7</td><td>3</td></tr>
<tr><td colspan="2">専門高校卒業　※2
専修学校（大学入学資格付与課程に限る）卒業</td><td>6</td><td>0</td><td>0</td><td>0</td><td>1</td></tr>
<tr><td colspan="2">短大・高専・高校専攻科卒業　※2
専門職大学前期課程修了
専修学校（大学編入資格付与課程に限る）卒業</td><td>5</td><td>0</td><td>0</td><td>0</td><td>0</td></tr>
<tr><td colspan="2">大学卒業（専門職大学前期課程修了者を除く）　※2
専修学校（大学院入学資格付与課程に限る）卒業</td><td>4</td><td>0</td><td>0</td><td>0</td><td>0</td></tr>
<tr><td rowspan="3">専修学校　※3
又は各種学校卒業
（厚生労働大臣が指定したものに限る。）</td><td>800時間以上</td><td>6</td><td>0</td><td>0 ※8</td><td>0 ※8</td><td>1</td></tr>
<tr><td>1600時間以上</td><td>5</td><td>0</td><td>0 ※8</td><td>0 ※8</td><td>1</td></tr>
<tr><td>3200時間以上</td><td>4</td><td>0</td><td>0 ※8</td><td>0 ※8</td><td>0</td></tr>
<tr><td>短期課程の普通職業訓練修了 ※4 ※9</td><td>700時間以上</td><td>6</td><td>0</td><td>0 ※5</td><td>0 ※5</td><td>1</td></tr>
<tr><td rowspan="2">普通課程の普通職業訓練修了 ※4 ※9</td><td>2800時間未満</td><td>5</td><td>0</td><td>0</td><td>0</td><td>1</td></tr>
<tr><td>2800時間以上</td><td>4</td><td>0</td><td>0</td><td>0</td><td>0</td></tr>
<tr><td colspan="2">専門課程又は特定専門課程の高度職業訓練修了 ※4 ※9</td><td>3</td><td>1</td><td>2</td><td>0</td><td>0</td><td>0</td><td>0</td></tr>
<tr><td colspan="2">応用課程又は特定応用課程の高度職業訓練修了 ※9</td><td colspan="3">1</td><td>0</td><td>0</td><td>0</td><td>0</td></tr>
<tr><td colspan="2">指導員養成課程の指導員養成訓練修了 ※9</td><td colspan="3">1</td><td>0</td><td>0</td><td>0</td><td>0</td></tr>
<tr><td colspan="2">職業訓練指導員免許取得</td><td colspan="3">1</td><td>—</td><td>—</td><td>—</td><td>—</td><td>0</td></tr>
<tr><td colspan="2">高度養成課程の指導員養成訓練修了 ※9</td><td colspan="3">0</td><td>0</td><td>0</td><td>0</td><td>0</td><td>0</td></tr>
</table>

※ 1：検定職種に関する学科、訓練科又は免許職種に限る。

※ 2：学校教育法による大学、短期大学又は高等学校と同等以上と認められる外国の学校又は他法令学校を卒業した者並びに独立行政法人大学改革支援・学位授与機構により学士の学位を授与された者は学校教育法に基づくそれぞれのものに準ずる。

※ 3：大学入学資格付与課程、大学編入資格付与課程及び大学院入学資格付与課程の専修学校を除く。

※ 4：職業訓練法の一部を改正する法律（昭和53年法律第40号）の施行前に、改正前の職業訓練法に基づく高等訓練課程又は特別高等訓練課程の養成訓練を修了した者は、それぞれ改正後の職業能力開発促進法に基づく普通課程の普通職業訓練又は専門課程の高度職業訓練を修了したものとみなす。また、職業能力開発促進法の一部を改正する法律（平成4年法律第67号）の施行前に、改正前の職業能力開発促進法に基づく専門課程の養成訓練を修了した者は、専門課程の高度職業訓練を修了したものとみなし、改正前の職業能力開発促進法に基づく普通課程の養成訓練又は職業転換課程の能力再開発訓練（いずれも800時間以上のものに限る。）を修了した者はそれぞれ改正後の職業能力開発促進法に基づく普通課程又は短期課程の普通職業訓練を修了したものとみなす。

※ 5：総訓練時間が700時間未満のものを含む。

※ 6：3級（前期又は後期の期間にかかわらず随時実施するものは除く。）の技能検定については、上記のほか、検定職種に関する学科に在学する者及び検定職種に関する訓練科において職業訓練を受けている者等も受検できる。また、工業高等学校に在学する者等であって、かつ、工業高等学校の教員等による検定職種に係る講習を受講し、当該講習の責任者から技能検定試験受検に際して安全衛生上の問題等がないと判定されたものも受検できる。また、基礎級の技能検定については技能実習生のみが、3級（前期又は後期の期間にかかわらず随時実施するものに限る。）は基礎級（旧基礎1級及び基礎2級を含む）に合格した者のみが、2級（前期又は後期の期間にかかわらず随時実施するものに限る。）は基礎級（旧基礎1級及び基礎2級を含む）及び当該検定職種に係る3級の実技試験に合格した者のみが、受検できる。

※ 7：検定職種に関し実務の経験を有する者について、受検資格を認めることとする。

※ 8：当該学校が厚生労働大臣の指定を受けたものであるか否かに関わらず、受検資格を付与する。

※ 9：職業能力開発促進法第92条に規定する職業訓練又は指導員訓練に準ずる訓練の修了者においても、修了した職業訓練又は指導員訓練の訓練課程に応じ、受検資格を付与する。

別表２　

都道府県及び中央職業能力開発協会所在地一覧

（令和６年４月現在）

協会名	郵便番号	所在地	電話番号
北海道職業能力開発協会	003-0005	札幌市白石区東札幌５条 1-1-2　北海道立職業能力開発支援センター内	011-825-2386
青森県職業能力開発協会	030-0122	青森市大字野尻字今田 43-1　青森県立青森高等技術専門校内	017-738-5561
岩手県職業能力開発協会	028-3615	紫波郡矢巾町大字南矢幅 10-3-1　岩手県立産業技術短期大学校内	019-613-4620
宮城県職業能力開発協会	981-0916	仙台市青葉区青葉町 16-1	022-271-9917
秋田県職業能力開発協会	010-1601	秋田市向浜 1-2-1　秋田県職業訓練センター内	018-862-3510
山形県職業能力開発協会	990-2473	山形市松栄 2-2-1　県立山形職業能力開発専門校内３階	023-644-8562
福島県職業能力開発協会	960-8043	福島市中町 8-2　福島県自治会館５階	024-525-8681
茨城県職業能力開発協会	310-0005	水戸市水府町 864-4　茨城県職業人材育成センター内	029-221-8647
栃木県職業能力開発協会	320-0032	宇都宮市昭和 1-3-10　栃木県庁舎西別館	028-643-7002
群馬県職業能力開発協会	372-0801	伊勢崎市宮子町 1211-1	0270-23-7761
埼玉県職業能力開発協会	330-0074	さいたま市浦和区北浦和 5-6-5　埼玉県浦和合同庁舎５階	048-829-2802
千葉県職業能力開発協会	261-0026	千葉市美浜区幕張西 4-1-10	043-296-1150
東京都職業能力開発協会	101-8527	千代田区内神田 1-1-5　東京都産業労働局神田庁舎５階	03-6631-6052
神奈川県職業能力開発協会	231-0026	横浜市中区寿町 1-4　かながわ労働プラザ６階	045-633-5419
新潟県職業能力開発協会	950-0965	新潟市中央区新光町 15-2　新潟県公社総合ビル４階	025-283-2155
富山県職業能力開発協会	930-0094	富山市安住町 7-18　安住町第一生命ビル２階	076-432-9887
石川県職業能力開発協会	920-0862	金沢市芳斉 1-15-15　石川県職業能力開発プラザ３階	076-262-9020
福井県職業能力開発協会	910-0003	福井市松本 3-16-10　福井県職員会館ビル４階	0776-27-6360
山梨県職業能力開発協会	400-0055	甲府市大津町 2130-2	055-243-4916
長野県職業能力開発協会	380-0836	長野市大字南長野南県町 688-2　長野県婦人会館３階	026-234-9050
岐阜県職業能力開発協会	509-0109	各務原市テクノプラザ 1-18　岐阜県人材開発支援センター内	058-260-8686
静岡県職業能力開発協会	424-0881	静岡市清水区楠 160	054-345-9377
愛知県職業能力開発協会	451-0035	名古屋市西区浅間 2-3-14　愛知県職業訓練会館内	052-524-2034
三重県職業能力開発協会	514-0004	津市栄町 1-954　三重県栄町庁舎４階	059-228-2732
滋賀県職業能力開発協会	520-0865	大津市南郷 5-2-14	077-533-0850
京都府職業能力開発協会	612-8416	京都市伏見区竹田流池町 121-3　京都府立京都高等技術専門校２階	075-642-5075
大阪府職業能力開発協会	550-0011	大阪市西区阿波座 2-1-1　大阪本町西第一ビルディング６階	06-6534-7510
兵庫県職業能力開発協会	650-0011	神戸市中央区下山手通 6-3-30　兵庫勤労福祉センター１階	078-371-2091
奈良県職業能力開発協会	630-8213	奈良市登大路町 38-1　奈良県中小企業会館２階	0742-24-4127
和歌山県職業能力開発協会	640-8272	和歌山市砂山南 3-3-38　和歌山技能センター内	073-425-4555
鳥取県職業能力開発協会	680-0845	鳥取市富安 2-159　久本ビル５階	0857-22-3494
島根県職業能力開発協会	690-0048	松江市西嫁島 1-4-5　SP ビル２階	0852-23-1755
岡山県職業能力開発協会	700-0824	岡山市北区内山下 2-3-10　アマノビル３階	086-225-1547
広島県職業能力開発協会	730-0052	広島市中区千田町 3-7-47　広島県情報プラザ５階	082-245-4020
山口県職業能力開発協会	753-0051	山口市旭通り 2-9-19　山口建設ビル３階	083-922-8646
徳島県職業能力開発協会	770-8006	徳島市新浜町 1-1-7	088-663-2316
香川県職業能力開発協会	761-8031	高松市郷東町 587-1　地域職業訓練センター内	087-882-2854
愛媛県職業能力開発協会	791-8057	松山市大可賀 2-1-28　アイテムえひめ内	089-993-7301
高知県職業能力開発協会	781-5101	高知市布師田 3992-4	088-846-2300
福岡県職業能力開発協会	813-0044	福岡市東区千早 5-3-1　福岡人材開発センター２階	092-671-1238
佐賀県職業能力開発協会	840-0814	佐賀市成章町 1-15	0952-24-6408
長崎県職業能力開発協会	851-2127	西彼杵郡長与町高田郷 547-21	095-894-9971
熊本県職業能力開発協会	861-2202	上益城郡益城町田原 2081-10　電子応用機械技術研究所内	096-285-5818
大分県職業能力開発協会	870-1141	大分市大字下宗方字古川 1035-1　大分職業訓練センター内	097-542-3651
宮崎県職業能力開発協会	889-2155	宮崎市学園木花台西 2-4-3	0985-58-1570
鹿児島県職業能力開発協会	892-0836	鹿児島市錦江町 9-14	099-226-3240
沖縄県職業能力開発協会	900-0036	那覇市西 3-14-1	098-862-4278
中央職業能力開発協会	160-8327	新宿区西新宿 7-5-25　西新宿プライムスクエア 11 階	03-6758-2859

造園

実技試験問題

令和5年度技能検定
2級造園（造園工事作業）
実技試験（製作等作業試験）問題

次の注意事項及び仕様に従って、指定された区画内に施工図(P3)に示す四つ目垣製作、縁石・飛石・敷石敷設、築山及び植栽作業を行いなさい。*

1　試験時間

標準時間　　2時間30分

打切り時間　3時間

2　注意事項

(1)　支給された材料の品名、寸法、数量等が、「4　支給材料」のとおりであることを確認すること。

(2)　支給された材料に異常がある場合は、申し出ること。

(3)　試験開始後は、原則として、支給材料の再支給をしない。

(4)　使用工具等は、使用工具等一覧表で指定した以外のものは使用しないこと。

(5)　試験中は、工具等の貸し借りを禁止とする。
なお、持参した工具等の予備を使用する場合は、技能検定委員の確認を受けること。

(6)　作業時の服装等は、安全性、かつ、作業に適したものとする。ただし、熱中症のおそれがある場合は、技能検定委員の指示により、保護帽(ヘルメット)は、着用しなくても構わない。
なお、作業時の服装等が著しく不適切であり、受検者の安全管理上、重大なけが・事故につながる等試験を受けさせることが適切でないと技能検定委員が判断した場合、試験を中止(失格)とする場合がある。

(7)　標準時間を超えて作業を行った場合は、超過時間に応じて減点される。

(8)　作業が終了したら、技能検定委員に申し出ること。

(9)　試験中は、試験問題以外の用紙にメモしたものや参考書等を参照することは禁止とする。

(10)　試験中は、携帯電話、スマートフォン、ウェアラブル端末等の使用(電卓機能の使用を含む。)を禁止とする。

(11)　工具・材料等の取扱い、作業方法について、そのまま継続するとけがなどを招くおそれがあり危険であると技能検定委員が判断した場合、試験中にその旨を注意することがある。
さらに、当該注意を受けてもなお危険な行為を続けた場合、技能検定委員全員の判断により試験を中止し、かつ失格とする。ただし、緊急性を伴うと判断された場合は、注意を挟まず即中止(失格)とすることがある。

＊本書ではP.14

3 仕 様

(1) 四つ目垣

イ 丸太柱は、埋込み部分の防腐処理をしなくてよいが、天端は、切りそろえること。

ロ 胴縁は、元末を交互に使うが、末節止めとし、丸太柱にくぎ止めとすること。

ハ 立子は、末節止めとすること。

ニ 立子と胴縁との結束は、次によること。

(イ) 1段目と3段目は、シュロ縄を2本使いで裏綾掛けいぼ結びとし、しりをいぼの上端から20mmで切りそろえること。

(ロ) 2段目は、シュロ縄を2本使いで、左よりからみ結び(かいずる)とすること。

(2) 縁石、飛石及び敷石

イ 縁石及び飛石の敷設で寸法を指定していない箇所は、平面図のような感じになるようにすること。

ロ 敷石B、縁石(自然石)、縁石(石材又はコンクリート製)の仕上がり高は同一とすること。

ハ 縁石及び敷石は、平らに土ぎめ敷設すること。

ニ 掘り出した土(発生土)は、点線の範囲内の築山及び整地に使用すること。

(3) 築山

発生土を使用して、点線の範囲内に見映え良く設けること。

(4) 植栽

イ 枝ぶりを生かし、平面図のような感じになるように植栽すること。

ロ 刈込みはしないこと。

ハ 植栽に当たっては、本来ならば水鉢を設けるところであるが、本試験においては、水鉢を設けないこと。

4 支給材料

品 名	寸 法 又 は 規 格	数量	備 考
丸太	末口6cm、長さ約1.6m	2 本	竹垣用
唐竹	15～20本じめ(4節上り、回り7～9cm)	4 本	胴縁及び立子用
シュロ縄	径3mm、長さ25m (黒)	2 束	
くぎ	長さ45mm	7 本	予備含む
飛石	踏面35～50cm程度、厚さ10cm前後	3 枚	
敷石	長さ60cm×幅30cm×厚さ6cm	2 枚	石材又はコンクリート製
縁石	径15～20cm程度、厚さ8cm以上	10 個	自然石(予備含む)
	長さ60cm×幅10cm×厚さ10cm	1 本	石材又はコンクリート製
中木	H=1.5m	1 本	
低木	サツキツツジ等 H＝0.3m、W=0.3m	2 株	
下草	ヤブラン・オオバジャノヒゲ等	1 株	3芽立ち以上 コンテナ径10.5cm

2級造園施工図 （単位：mm）

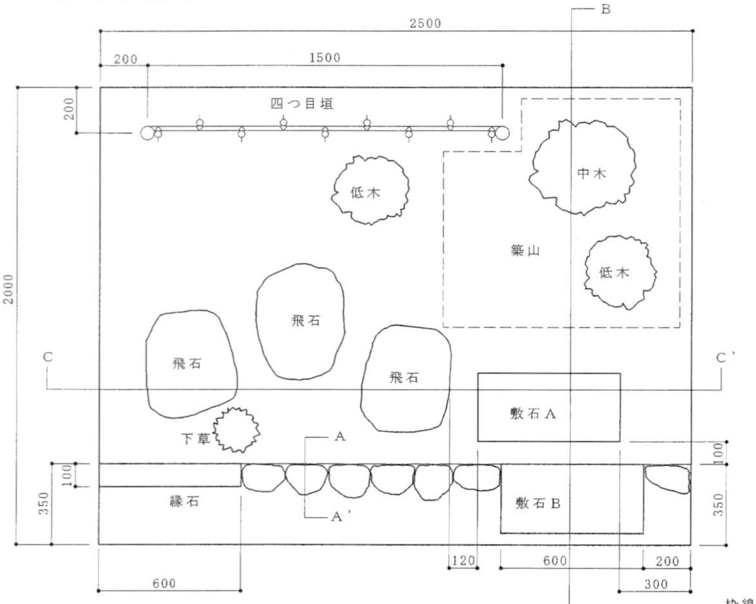

平面図　S＝1：20

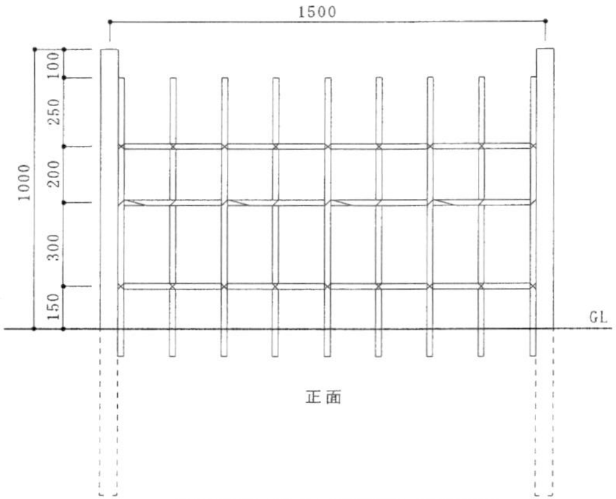

四つ目垣詳細図　S＝1：20

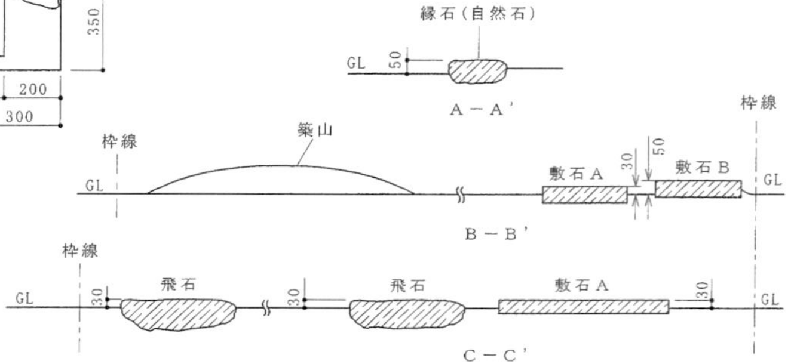

ちり部断面図　S＝1：20

2級造園実技試験（製作等作業試験）使用工具等一覧表

1　受検者が持参するもの

品　名	寸法又は規格	数　量	備　考
巻尺		1	
のこぎり		1	
竹ひきのこ		1	
金づち		1	
くぎしめ		1	
木ばさみ		必要数	剪定ばさみも可
くぎ抜き		1	
きり	三つ目きり	必要数	充電式ドリルも可
木づち(このきり)		1	
こうがい板(かき板)	250～300mm	1	地ならし用
れんがごて		必要数	地ごても可
くぎ袋		1	
手ぼうき		必要数	
箕(み)		1	
水糸		必要数	糸巻も可
水平器		1	
スコップ	剣スコ	必要数	両面スコップ、移植ごて、手ぐわも可
つき棒(きめ棒)		1	
遣方杭(位置出し棒)		必要数	ピンポール相当品
作業服等		一式	
保護帽(ヘルメット)		1	
作業用手袋		1	使用は任意とする。
鉛筆		必要数	
飲料		適宜	熱中症対策、水分補給用

(注) 1.　使用工具等は、上記のものに限るが、同一種類のものを予備として持参することは差し支えない。
　ただし、試験場の状態により、上記以外に持参する工具を指示された場合には、その工具を持参すること。
2.　充電式ドリルを持参する場合は、予め充電して持参すること。
　なお、バッテリーの予備の持参も可とする。
3.　持参する工具に計測できるような加工はしないこと。
4.　「飲料」については、受検者が各自で熱中症対策、水分補給用として、持参すること。

2　試験場に準備されているもの

品　名	寸法又は規格	数　量	備　考
バケツ(水)		適宜	シュロ縄用

実技試験(判断等試験)問題について

1　試験実施日

実施都道府県が別途指定する日に行う。

2　試験時間

7分30秒

3　問題の概要

提示された樹木の枝葉の部分を見て、その樹種名を判定する。

ただし、提示される樹木は、別表「樹種名一覧」の中から15種が選定される。

4　持参用具等

筆記用具一式

5　その他

(1)　試験中は、参考書やメモ(本試験問題への書込みも含む)等を参照することは禁止とする。

(2)　試験中は、携帯電話、スマートフォン、ウェアラブル端末等の使用(電卓機能の使用を含む。)を禁止とする。

別表「樹種名一覧」

ア	1	アオキ	キ	30	キョウチクトウ	セ	59	センリョウ	ヒ	88	ヒヨクヒバ(イトヒバ)
	2	アカギ		31	キンモクセイ	ソ	60	ソメイヨシノ		89	ピラカンサ
	3	アカマツ	ク	32	クスノキ	タ	61	タイサンボク	フ	90	フクギ
	4	アコウ		33	クチナシ		62	タブノキ		91	ブラシノキ
	5	アジサイ		34	クヌギ	チ	63	チャボヒバ		92	プラタナス
	6	アセビ		35	クロガネモチ	テ	64	デイゴ		93	ブルーベリー
	7	アベリア		36	クロマツ	ト	65	トウカエデ	ヘ	94	ベニカナメモチ
	8	アラカシ	ケ	37	ゲッケイジュ		66	ドウダンツツジ	ホ	95	ボケ
イ	9	イチイ		38	ケヤキ		67	トキワマンサク		96	ポプラ
	10	イヌシデ	コ	39	コウヤマキ		68	トチノキ	マ	97	マサキ
	11	イヌツゲ		40	コデマリ		69	トベラ		98	マテバシイ
	12	イヌマキ		41	コナラ	ナ	70	ナツツバキ		99	マンサク
	13	イロハモミジ		42	コブシ		71	ナナカマド		100	マンリョウ
ウ	14	ウバメガシ	サ	43	サカキ		72	ナンテン	ム	101	ムクゲ
	15	ウメ		44	ザクロ	ニ	73	ニシキギ		102	ムクノキ
エ	16	エゴノキ		45	サザンカ		74	ニセアカシア	メ	103	メタセコイア
	17	エゾマツ		46	サツキツツジ	ネ	75	ネズミモチ	モ	104	モクマオウ
	18	エゾヤマザクラ		47	サルスベリ		76	ネムノキ		105	モチノキ
	19	エノキ		48	サワラ	ハ	77	ハギ		106	モッコク
	20	エンジュ		49	サンゴジュ		78	ハクモクレン		107	モモ
オ	21	オオデマリ	シ	50	シダレヤナギ		79	ハナカイドウ	ヤ	108	ヤブツバキ
カ	22	カイズカイブキ		51	シマトネリコ		80	ハナスホウ		109	ヤマブキ
	23	カクレミノ		52	シモツケ		81	ハナミズキ	ユ	110	ユキヤナギ
	24	ガジュマル		53	シャリンバイ	ヒ	82	ヒイラギ		111	ユズリハ
	25	カツラ		54	シラカシ		83	ヒイラギナンテン		112	ユリノキ
	26	カヤ		55	シラカンバ		84	ヒサカキ	ラ	113	ライラック
	27	カリン		56	ジンチョウゲ		85	ヒノキ	レ	114	レンギョウ類　※
	28	カルミヤ	ス	57	スギ		86	ヒマラヤスギ	ロ	115	ロウバイ
	29	カンヒザクラ		58	スダジイ		87	ヒメシャラ			

※　No.114「レンギョウ類」は、レンギョウ、シナレンギョウ及びチョウセンレンギョウのいずれか一つ選定されます。

令和5年度技能検定
1級造園（造園工事作業）
実技試験(製作等作業試験)問題

次の注意事項及び仕様に従って、指定された区画内に施工図(P4)に示す竹垣製作、蹲踞・飛石・延段敷設、景石・植栽配置及び小透かし剪定作業を行いなさい。*

1　試験時間

標準時間　　3時間

打切り時間　　3時間30分

2　注意事項

(1)　支給された材料の品名、寸法、数量等が、「4　支給材料」のとおりであることを確認すること。

(2)　支給された材料に異常がある場合は、申し出ること。

(3)　試験開始後は、原則として、支給材料の再支給をしない。

(4)　使用工具等は、使用工具等一覧表で指定した以外のものは使用しないこと。

(5)　試験中は、工具等の貸し借りを禁止とする。

なお、持参した工具等の予備を使用する場合は、技能検定委員の確認を受けること。

(6)　作業時の服装等は、安全性、かつ、作業に適したものとする。ただし、熱中症のおそれがある場合は、技能検定委員の指示により、保護帽(ヘルメット)は、着用しなくても構わない。

なお、作業時の服装等が著しく不適切であり、受検者の安全管理上、重大なけが・事故につながる等試験を受けさせることが適切でないと技能検定委員が判断した場合、試験を中止(失格)とする場合がある。

(7)　標準時間を超えて作業を行った場合は、超過時間に応じて減点される。

(8)　作業が終了したら、技能検定委員に申し出ること。

(9)　試験中は、試験問題以外の用紙にメモしたものや参考書等を参照することは禁止とする。

(10)　試験中は、携帯電話、スマートフォン、ウェアラブル端末等の使用(電卓機能の使用を含む。)を禁止とする。

(11)　工具・材料等の取扱い、作業方法について、そのまま継続するとけがなどを招くおそれがあり危険であると技能検定委員が判断した場合、試験中にその旨を注意することがある。

さらに、当該注意を受けてもなお危険な行為を続けた場合、技能検定委員全員の判断により試験を中止し、かつ失格とする。ただし、緊急性を伴うと判断された場合は、注意を挟まず即中止(失格)とすることがある。

＊本書では P.21

3 仕 様

3.1 竹垣

(1) 竹垣製作は、丸太柱の埋め込み、胴縁、立子かきつけ、押し縁及び玉縁(笠木)の順に行うこと。
(2) 丸太柱は、埋め込み部分の防腐処理をしなくてよいが、天端は、切りそろえること。
(3) 胴縁は、丸竹で使用すること。
(4) 押し縁及び玉縁は、詳細図に示すように唐竹二つ割りとすること。
(5) 胴縁及び押し縁の柱つきは、節止めとし、元末を交互使いとし、胴縁は、丸太柱にくぎ止め、間柱にシュロ縄を2本使いで杭掛けとすること。
　なお、上段の胴縁は、元節止めとする。
(6) 玉縁については、元節止めとすること。
(7) 立子は、詳細図に示すように左からかきつけ、始まりの3枚は、末を上にすること。
(8) 立子と胴縁との結束は、シュロ縄を1本使いでかきつけること。
(9) 押し縁の結束は、詳細図のような位置にシュロ縄を2本使いでねじれいぼ結びとし、しりをいぼの上端から40mmに切りそろえること。
(10) 玉縁の結束は、詳細図のような位置にシュロ縄を3本使いで頭の出が玉縁の上端から70mmのとっくり結び・ねじれいぼとし、返しを入れ、玉縁の上端から下がり150mmに切りそろえること。

3.2 蹲踞、飛石、延段の敷設

(1) 蹲踞、飛石及び延段敷設で寸法を指定していない箇所は、平面図のような感じになるようにすること。
(2) 蹲踞の海は、前石を基準として深さを決め、砂で仕上げ、水門石4石(延段用ごろた石を利用)を置くこと。
(3) ふち石(つなぎ石)の天端はそろえること。
(4) 延段の目地は、土極めとすること。
(5) 筧は、施工図に示すように設置すること。
(6) 関守石は、平面図の位置に置くこと。
(7) 掘り出した土は、区画内の整地に使用すること。

3.3 景石及び植栽自由配置

下記の景石、樹木及び下草を全て使用し、平面図の ………… で囲われた空間に各自自由に作庭すること。
(1) 石は、安定した景に据えること。
(2) 植栽は、枝ぶりをいかした自然形とし、中木以外は剪定しないこと。
(3) 植栽に当たっては、本来ならば水鉢を設けるところであるが、本試験においては、水鉢を設けないこと。

3.4 小透かし剪定

3.3の全ての植栽終了後、植栽した中木に対して、小透かし剪定をすること。ただし、樹木の特性をいかして自然樹形に剪定すること。

景石及び植栽自由配置使用材料

品　名	寸 法 又 は 規 格	数量	備　考
景　石	径25cm～45cm　(大中小)	3 個	
中　木	モチ、シラカシ、サザンカ等　H=1.5m以上	1 本	剪定する前のもの
低　木	サツキツツジ等　H=0.3m、W=0.3m	2 株	
下　草	ヤブラン・オオバジャノヒゲ等 タマリュウ等	14 株	3芽立ち コンテナ径10.5cm 5芽立ち コンテナ径7.5cm

3.5 発生土

各作業の発生土は、敷地内で自由に使用すること。

4 支給材料

(1) 試験場で支給されるもの

品　名	寸 法 又 は 規 格	数量	備　　考
丸　太	末口 6cm、　長さ約1.5m	1 本	竹垣用
	末口 7.5cm、長さ約1.6m	1 本	
唐　竹	7本じめ(4節上り、回り18cm～20cm)	1 本	押し縁・玉縁用
	15～20本じめ(4節上り、回り7cm～9cm)	1.5 本	胴縁用
山割り(割り竹)	長さ90cm	1.08m幅分	立子用
シュロ縄	径3mm　長さ25m(黒)	2 束	
く　ぎ	長さ45mm	4 本	
	長さ65mm	4 本	
水　鉢	径35～45cm、高さ20～25cm	1 個	水盤状のもの
台　石	径25～30cm程度、厚さ20cm前後	1 個	
役　石	天端面25cm以上、高さ30cm	2 個	手燭、湯桶用
	踏面40cm～45cm、厚さ10cm前後	1 個	前石用
飛　石	踏面30cm～35cm程度、厚さ10cm前後	1 枚	
砂		若干	
ごろた石	径5cm～25cm、厚さ5～25cm前後	1m^{2}分	延段用、水門石用及び蹲踞つなぎ石(ふち石)用(予備含む)
板　石	45cm×30cm、厚さ7cm以上	1 枚	
景　石	径25cm～45cm　　(大中小)	3 個	
中　木	モチ、シラカシ、サザンカ等　H=1.5m以上	1 本	剪定する前のもの
低　木	サツキツツジ等 H=0.3m、W=0.3m	2 株	
下　草	ヤブラン・オオバジャノヒゲ等	5 株	3芽立ち コンテナ径10.5cm
	タマリュウ等	9 株	5芽立ち コンテナ径7.5cm

(2) 受検者が持参するもの

品　名	寸 法 又 は 規 格	数量	備　　考
筧	こまがしら、径7～9cm、長さ18cm	1 組	製作して持参すること
関守石	玉石、径12～15cm	1 個	製作して持参すること

A３判を45%に縮小してあります

1級造園施工図　（単位：mm）

自由配置（点線内）

景石　径25cm～45cm（大、中、小）３個

中木　H＝1.5m（モチ・シラカシ・サザンカ等）１本

低木　H=0.3m　W＝0.3m（サツキツツジ等）２株

下草　ヤブラン・オオバジャノヒゲ等５株、タマリュウ等９株

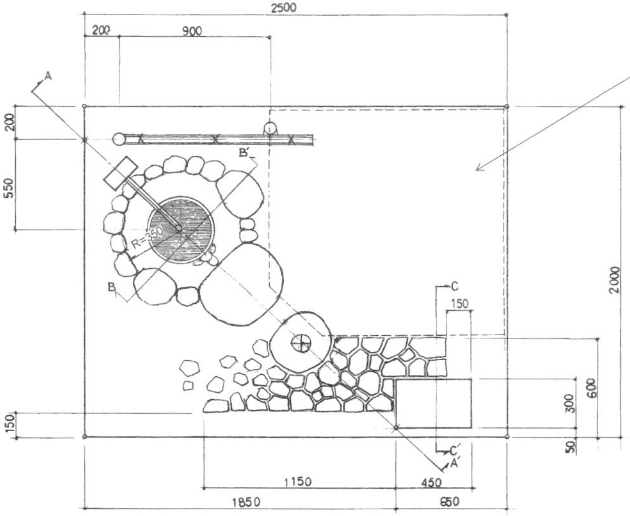

平面図　S＝1/２０

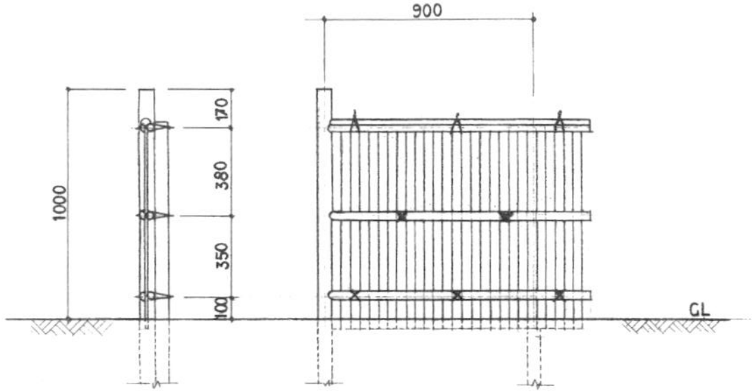

竹垣　詳細図　S＝1/２０

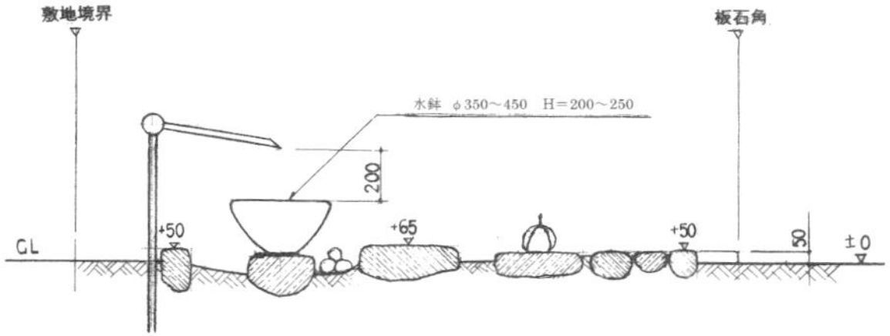

A－A' 断面図　S＝1/２０

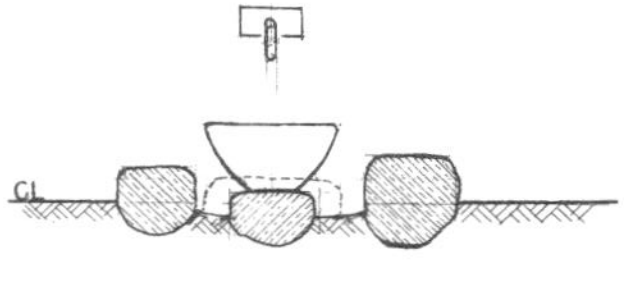

B－B' 断面図　S＝1/２０

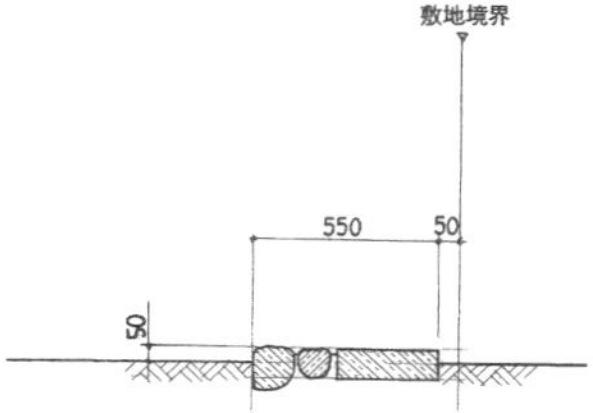

C－C' 断面図　S＝1/２０

1級造園実技試験（製作等作業試験）使用工具等一覧表

1　受検者が持参するもの

品　　名	寸法又は規格	数　量	備　　考
巻尺		1	
のこぎり		1	
竹ひきのこ		1	
金づち		1	
くぎしめ		1	
木ばさみ		必要数	剪定ばさみも可
くぎ抜き		1	
ペンチ又はプライヤー		1	
きり	三つ目きり	必要数	充電式ドリルも可
木づち(このきり)		1	
竹割り(竹割りがま)		1	
くり針(曲がり針)		1	
こうがい板(かき板)	250～300mm	1	地ならし用
れんがごて		必要数	地ごても可
かなじめ		1	必要に応じて持参可
目地ごて		1	目地べらも可
くぎ袋		1	
手ぼうき		必要数	
箕(み)		1	
水糸		必要数	糸巻も可
水平器		1	
スコップ	剣スコ	必要数	両面スコップ、移植ごて、手ぐわも可
つき棒(きめ棒)		1	
遣方杭(位置出し棒)		必要数	ピンポール相当品
作業服等		一式	
保護帽(ヘルメット)		1	
作業用手袋		1	使用は任意とする。
鉛筆		必要数	
飲料		適宜	熱中症対策、水分補給用

(注)1. 使用工具等は、上記のものに限るが、同一種類のものを予備として持参することは差し支えない。
　ただし、試験場の状態により、上記以外に持参する工具を指示された場合には、その工具を持参すること。
2. 充電式ドリルを持参する場合は、予め充電して持参すること。
　なお、バッテリーの予備の持参も可とする。
3. 持参する工具に計測できるような加工はしないこと。
4. 「飲料」については、受検者が各自で熱中症対策、水分補給用として、持参すること。

2　試験場に準備されているもの

品　名	寸法又は規格	数　量	備　考
バケツ(水)		適宜	シュロ縄用

実技試験(判断等試験)問題について

1　試験実施日

実施都道府県が別途指定する日に行う。

2　試験時間

10分

3　問題の概要

提示された20種類の樹木の枝葉の部分を見て、その樹種名を判定する。

ただし、提示される樹木は、下表の第1表の中から5種、第2表の中から15種が選定される。

4　持参用具等

筆記用具一式

5　その他

(1)　試験中は、参考書やメモ(本試験問題への書込みも含む)等を参照することは禁止とする。

(2)　試験中は、携帯電話、スマートフォン、ウェアラブル端末等の使用(電卓機能の使用を含む。)を禁止とする。

第1表「樹種名一覧」

ア	1	アオダモ (コバノトネリコ)	ク	13	グミ類　※	ナ	25	ナツハゼ	ミ	37	ミツマタ
	2	アキニレ	サ	14	サンシュユ		26	ナンキンハゼ	ム	38	ムクロジ
イ	3	イスノキ	シ	15	シナノキ	ニ	27	ニオイヒバ		39	ムベ
	4	イタヤカエデ		16	シャシャンボ	ハ	28	ハクウンボク	モ	40	モンパノキ
ウ	5	ウメモドキ		17	シロヤマブキ		29	ハマナス	ヤ	41	ヤブニッケイ
オ	6	オオシラビソ	ソ	18	ソヨゴ		30	ハルニレ		42	ヤマボウシ
	7	オオハマボウ	タ	19	タラヨウ	ヒ	31	ヒイラギモクセイ	ラ	43	ラクウショウ
	8	オガタマノキ	ツ	20	ツガ	フ	32	フウ		44	ランタナ
	9	オキナワキョウチクトウ	テ	21	テリハボク		33	ブナ	リ	45	リュウキュウマツ
キ	10	ギョリュウ	ト	22	ドイツトウヒ		34	プルメリア		46	リョウブ
	11	キンシバイ		23	トドマツ	ホ	35	ホルトノキ			
	12	ギンドロ	ナ	24	ナギ	ミ	36	ミツバツツジ			

※　No.13「グミ類」は、ナツグミ、アキグミ及びナワシログミのいずれか一つ選定されます。

第2表「樹種名一覧」

ア	1	アオキ	キ	30	キョウチクトウ	セ	59	センリョウ	ヒ	88	ヒヨクヒバ(イトヒバ)
	2	アカギ		31	キンモクセイ	ソ	60	ソメイヨシノ		89	ピラカンサ
	3	アカマツ	ク	32	クスノキ	タ	61	タイサンボク	フ	90	フクギ
	4	アコウ		33	クチナシ		62	タブノキ		91	ブラシノキ
	5	アジサイ		34	クヌギ	チ	63	チャボヒバ		92	プラタナス
	6	アセビ		35	クロガネモチ	テ	64	デイゴ		93	ブルーベリー
	7	アベリア		36	クロマツ	ト	65	トウカエデ	ヘ	94	ベニカナメモチ
	8	アラカシ	ケ	37	ゲッケイジュ		66	ドウダンツツジ	ホ	95	ボケ
イ	9	イチイ		38	ケヤキ		67	トキワマンサク		96	ポプラ
	10	イヌシデ	コ	39	コウヤマキ		68	トチノキ	マ	97	マサキ
	11	イヌツゲ		40	コデマリ		69	トベラ		98	マテバシイ
	12	イヌマキ		41	コナラ	ナ	70	ナツツバキ		99	マンサク
	13	イロハモミジ		42	コブシ		71	ナナカマド		100	マンリョウ
ウ	14	ウバメガシ	サ	43	サカキ		72	ナンテン	ム	101	ムクゲ
	15	ウメ		44	ザクロ	ニ	73	ニシキギ		102	ムクノキ
エ	16	エゴノキ		45	サザンカ		74	ニセアカシア	メ	103	メタセコイア
	17	エゾマツ		46	サツキツツジ	ネ	75	ネズミモチ	モ	104	モクマオウ
	18	エゾヤマザクラ		47	サルスベリ		76	ネムノキ		105	モチノキ
	19	エノキ		48	サワラ	ハ	77	ハギ		106	モッコク
	20	エンジュ		49	サンゴジュ		78	ハクモクレン		107	モモ
オ	21	オオデマリ	シ	50	シダレヤナギ		79	ハナカイドウ	ヤ	108	ヤブツバキ
カ	22	カイズカイブキ		51	シマトネリコ		80	ハナスホウ		109	ヤマブキ
	23	カクレミノ		52	シモツケ		81	ハナミズキ	ユ	110	ユキヤナギ
	24	ガジュマル		53	シャリンバイ	ヒ	82	ヒイラギ		111	ユズリハ
	25	カツラ		54	シラカシ		83	ヒイラギナンテン		112	ユリノキ
	26	カヤ		55	シラカンバ		84	ヒサカキ	ラ	113	ライラック
	27	カリン		56	ジンチョウゲ		85	ヒノキ	レ	114	レンギョウ類 ※
	28	カルミヤ	ス	57	スギ		86	ヒマラヤスギ	ロ	115	ロウバイ
	29	カンヒザクラ		58	スダジイ		87	ヒメシャラ			

※ No.114「レンギョウ類」は、レンギョウ、シナレンギョウ及びチョウセンレンギョウのいずれか一つ選定されます。

造園

学科試験問題

令和５年度 技能検定
２級 造園 学科試験問題
（造園工事作業）

1. 試験時間　1時間40分
2. 問題数　50題(A群25題、B群25題)
3. 注意事項
   (1) 係員の指示があるまで、この表紙はあけないでください。
   (2) 答案用紙(真偽法と多肢択一法の併用)に検定職種名、作業名、級別、受検番号、氏名を必ず記入してください。
   (3) 係員の指示に従って、問題数を確かめてください。それらに異常がある場合は、黙って手を挙げてください。問題はA群(真偽法)とB群(多肢択一法)とに分かれています。
   (4) 試験開始の合図で始めてください。
   (5) 解答の方法(真偽法と多肢択一法の併用)は次のとおりです。
      イ. A群の問題(真偽法)は、一つ一つの問題の内容が正しいか、誤っているかを判断して解答してください。
      ロ. B群の問題(多肢択一法)は、正解と思うものを一つだけ選んで、解答してください。二つ以上に解答した場合は誤答となります。
      ハ. 答案用紙(マークシート用紙)へ解答する際は、答案用紙に記載されている注意事項に従ってください。
      ニ. 答案用紙の解答欄は、A群の問題とB群の問題とでは異なります。所定の解答欄に、試験問題の題数に応じて解答してください。解答欄はA群は50題まで、B群は25題まで解答できるようになっています。
   (6) 電子式卓上計算機その他これと同等の機能を有するものは、使用してはいけません。
   (7) 携帯電話、スマートフォン、ウェアラブル端末等は、使用してはいけません。
   (8) 試験中、質問があるときは、黙って手を挙げてください。ただし、試験問題の内容、漢字の読み方等に関する質問にはお答えできません。
   (9) 試験終了時刻前に解答ができあがった場合は、黙って手を挙げて、係員の指示に従ってください。
   (10) 試験中に手洗いに立ちたいときは、黙って手を挙げて、係員の指示に従ってください。
   (11) 試験終了の合図があったら、筆記用具を置き、係員の指示に従ってください。

［A群（真偽法）］

1　借景とは、他の庭園の一部を箱庭式に取り入れた景観をいう。

2　織部灯籠《とうろう》は、宝珠、笠、火袋、中台、竿及び基礎の部分によって構成されている。

3　カナールとは、噴水のことをいう。

4　びしゃんは、切石の表面を磨く時に使用する工具である。

5　ターンバックルは、ねじによる引締め金具である。

6　造園工事の施工順序は、一般に、次のとおりである。
　盛土・粗整地工 → 地割工 → 植栽工 → 石組工 → 芝張工

7　工程表作成において、逆算法は、竣工期日から各工事の施工期日を割り当て、工期を決めていく方法である。

8　高木を掘り取るときの根鉢の直径は、一般に、幹の根元直径の2倍にするのがよい。

9　流れの部分の石組みは、流れ尻に行くほど角のある石を多く使うのがよい。

10　マサキモザイク病やツバキ斑葉病は、ウイルスが病原である。

11　イラガの幼虫は、雑食性で、葉を食害し、触れると激しい痛みにおそわれる。

12　小《こ》透《す》かしとは、太い枝を幹の付け根からのこぎりで剪定する方法をいう。

13　労働安全衛生法関係法令によれば、移動式クレーンの玉掛け用ワイヤロープには、安全係数が5のものを使用してもよい。

14　普通れんがは、積み上げる前に十分に乾燥させておくとよい。

15　インターロッキングブロックで園路舗装する場合は、砂利あるいは土で据えるとよい。

16　石灰質の土壌改良材は、酸性土壌の改良に適している。

17　樹木の根系とは、直根(主根)、側根及び細根のことをいう。

18　オガタマノキ、ヒイラギ及びハクモクレンは、いずれも常緑高木である。

［A群（真偽法)］

19　ピートモスは、無機質土壌改良材である。

20　ケヤキの繁殖は、主に、実生による。

21　日本産業規格(JIS)によれば、寸法補助記号φは、半径を表す。

22　レベルやトランシットを用いて測量する場合、接眼レンズを覗き、十字線がはっきり見えるように調整しなければならない。

23　都市公園法関係法令によれば、砂場は、遊戯施設に含まれる。

24　労働安全衛生法関係法令によれば、事業者は、高さが2m以上の箇所で作業を行う場合において、強風、大雨、大雪等の悪天候のため、当該作業の実施について危険が予想されるときは、当該作業に労働者を従事させてはならないと規定されている。

25　労働安全衛生法関係法令によれば、高所作業車を用いて作業を行うときは、乗車席及び作業床以外の箇所に労働者を乗せてはならないと規定されている。

［B群（多肢択一法）］

1　茶庭に関する記述として、適切でないものはどれか。

イ　飛石、蹲踞《つくばい》及び石灯籠《どうろう》は、茶庭の構成要素である。

ロ　二重露地には、外露地と内露地がある。

ハ　茶庭の設計・施工に当たっては、茶事についての知識や心得はなくてもよい。

ニ　茶庭は、茶室へ至る道すがらを、深山幽谷の景をもって表現する。

2　室町時代に造られた庭園として、正しいものはどれか。

イ　毛越寺庭園

ロ　慈照寺(銀閣寺)庭園

ハ　兼六園

ニ　岡山後楽園

3　蹲踞《つくばい》の役石として、使われないものはどれか。

イ　手燭石

ロ　関守石

ハ　湯桶石

ニ　前石

4　竹垣製作の際に使用しない工具はどれか。

イ　竹ひきのこ

ロ　つき棒

ハ　木ばさみ

ニ　こやすけ

5　建設機械とその施工用途の組合せとして、適切なものはどれか。

	（建設機械）	（施工用途）
イ	トラクタショベル	土の積込み・運搬
ロ	バックホウ	転圧
ハ	ランマ	運搬
ニ	振動ローラ	掘削

6　根巻きの方法で、揚《あ》げ巻きの説明はどれか。

イ　根鉢を、穴より出して根を巻く方法

ロ　根についている土を全てふるい落とす方法

ハ　根鉢を、そのまま穴の中で巻く方法

ニ　長い根を掘り取り、根全体をまとめて簡単に巻く方法

［B群（多肢択一法）］

7　街路樹に最も多く使用されている風除け支柱はどれか。

イ　布掛け支柱

ロ　八つ掛け支柱

ハ　鳥居形支柱

ニ　樹木地下支柱

8　フジに適した掘取り法はどれか。

イ　凍土法

ロ　根巻き

ハ　ふるい掘り

ニ　追い掘り(探り掘り)

9　庭園で音を楽しむ施設はどれか。

イ　降り蹲踞《つくばい》

ロ　鹿おどし

ハ　トレリス

ニ　パーゴラ

10　最も短期間で芝生が完成する張り方はどれか。

イ　べた張り

ロ　市松張り

ハ　筋張り

ニ　目地張り

11　今年の新枝に花芽をつけ、今年の内に開花する花木として、誤っているものはどれか。

イ　サルスベリ

ロ　ヤマボウシ

ハ　モクセイ

ニ　アベリヤ

12　樹木の剪定に関する記述として、適切でないものはどれか。

イ　平行枝及びからみ枝は、剪定する。

ロ　ひこばえ(やご)及び徒長枝は、剪定する。

ハ　ふところ枝は、剪定する。

ニ　樹勢の強い部分の枝は、弱剪定をする。

［Ｂ群（多肢択一法）］

13　次のうち、一般に、造園作業におけるれんが積み工事の1日の積み高さとして、適切なものはどれか。

イ　4.4m
ロ　3.2m
ハ　2.4m
ニ　1.2m

14　一般に、公園の排水配管の勾配として、適切な値はどれか。

イ　約1～2%
ロ　約5～6%
ハ　約10～11%
ニ　約15～16%

15　コンクリートの締固めに使用される棒形振動機(バイブレータ)の使用方法として、適切でないものはどれか。

イ　使用時に型枠に当ててはならない。
ロ　鉄筋に当てながら使用する。
ハ　引き抜くときは、徐々に引き抜く。
ニ　差し込むときは、鉛直に差し込む。

16　ニレ科の樹木はどれか。

イ　コブシ
ロ　ケヤキ
ハ　ハナミズキ
ニ　ニセアカシア

17　球根類はどれか。

イ　グラジオラス
ロ　ノコギリソウ
ハ　ラベンダー
ニ　オダマキ

18　雌雄同株の樹木はどれか。

イ　アオキ
ロ　モチノキ
ハ　アカマツ
ニ　イチョウ

［B群（多肢択一法）］

19　イロハモミジに関する記述として、誤っているものはどれか。

　イ　葉序は、対生である。
　ロ　実は、翼果で、実生もできる。
　ハ　樹液の流動期が早い。
　ニ　寒冷な気候には適していない。

20　陽樹と陰樹の組合せとして、誤っているものはどれか。

	（陽樹）		（陰樹）
イ	ハナカイドウ	・・・	アオキ
ロ	イチイ	・・・	ハナミズキ
ハ	ソメイヨシノ	・・・	ヤツデ
ニ	イチョウ	・・・	カヤ

21　造園計画の一般的な手順として、最も適切なものはどれか。

　イ　実施設計 → 基本設計 → 基本計画 → 現地調査
　ロ　現地調査 → 基本計画 → 基本設計 → 実施設計
　ハ　基本計画 → 基本設計 → 実施設計 → 現地調査
　ニ　基本計画 → 現地調査 → 基本設計 → 実施設計

22　レベル測量の標尺の持ち方として、最も適切なものはどれか。

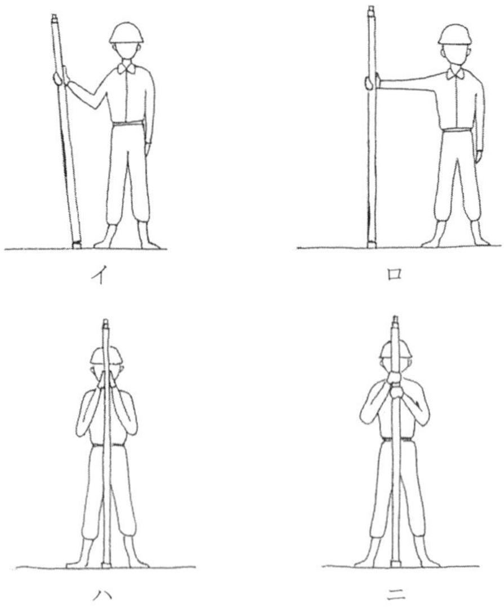

［B群（多肢択一法）］

23　次の公園施設のうち、便益施設でないものはどれか。

イ　売店

ロ　管理事務所

ハ　駐車場

ニ　便所

24　文中の(　　)内に当てはまる語句として、正しいものはどれか。

都市公園法関係法令によれば、地区公園は、(　　)に居住するものが容易に利用できるよう配置するものとし、その敷地面積は4haを標準として定めることと規定されている。

イ　街区内

ロ　近隣

ハ　徒歩圏域内

ニ　バス圏域内

25　クレーン業務に関する記述として、誤っているものはどれか。

イ　つり上げ荷重が1トン以上の移動式クレーンの玉掛けの業務は、熟練者であれば、資格等がなくても行うことができる。

ロ　つり上げた荷を水平移動させる場合は、原則として床上2m以上の高さを保ち、通行者、障害物、架空電線等の有無を確かめて水平移動させる。

ハ　操作に関し、合図の方法と合図指示者を定め、関係者に周知させる。

ニ　運搬重量、つり重量は、あらかじめ確認する。

令和4年度 技能検定
2級 造園 学科試験問題
(造園工事作業)

1. 試験時間　1時間40分
2. 問題数　50題(A群25題、B群25題)
3. 注意事項

(1)　係員の指示があるまで、この表紙はあけないでください。

(2)　答案用紙(真偽法と多肢択一法の併用)に検定職種名、作業名、級別、受検番号、氏名を必ず記入してください。

(3)　係員の指示に従って、問題数を確かめてください。それらに異常がある場合は、黙って手を挙げてください。問題はA群(真偽法)とB群(多肢択一法)とに分かれています。

(4)　試験開始の合図で始めてください。

(5)　解答の方法(真偽法と多肢択一法の併用)は次のとおりです。

イ.　A群の問題(真偽法)は、一つ一つの問題の内容が正しいか、誤っているかを判断して解答してください。

ロ.　B群の問題(多肢択一法)は、正解と思うものを一つだけ選んで、解答してください。二つ以上に解答した場合は誤答となります。

ハ.　答案用紙(マークシート用紙)へ解答する際は、答案用紙に記載されている注意事項に従ってください。

ニ.　答案用紙の解答欄は、A群の問題とB群の問題とでは異なります。所定の解答欄に、試験問題の題数に応じて解答してください。解答欄はA群は50題まで、B群は25題まで解答できるようになっています。

(6)　電子式卓上計算機その他これと同等の機能を有するものは、使用してはいけません。

(7)　携帯電話、スマートフォン、ウェアラブル端末等は、使用してはいけません。

(8)　試験中、質問があるときは、黙って手を挙げてください。ただし、試験問題の内容、漢字の読み方等に関する質問にはお答えできません。

(9)　試験終了時刻前に解答ができあがった場合は、黙って手を挙げて、係員の指示に従ってください。

(10)　試験中に手洗いに立ちたいときは、黙って手を挙げて、係員の指示に従ってください。

(11)　試験終了の合図があったら、筆記用具を置き、係員の指示に従ってください。

［A群（真偽法）］

1　潮入りの庭とは、砂紋を描いて海景を表現した庭をいう。

2　蹲踞《つくばい》や手水鉢には、必ず筧《かけひ》が設けられている。

3　袖垣は、建物の壁面から庭に向かって袖状に短い垣を突出させたものである。

4　くり針は、主として、四つ目垣の胴縁と立子をしゅろ縄で化粧結びをするのに使用する。

5　チルホールは、石工事のときの石割りに使用する工具である。

6　造園工事の施工順序は、一般に、次のとおりである。
地割工　→　盛土・粗整地工　→　石組工　→　植栽工　→　芝張工

7　施工計画を作成する際には、一般に、設計図書に基づき標準的な工事種別の項目を整理する必要がある。

8　樹木の根回しで環状剥皮《はくひ》をする場合は、形成層(あま皮)を残す方がよい。

9　常緑広葉樹を掘り取る場合は、一般に、振るいにするとよい。

10　シラカシの剪定の時期は、冬期がよい。

11　切りつめ剪定とは、樹形を小さくしたり、樹木を一定の大きさに維持するために伸びすぎた枝を切り縮めて形を整える手入れをいう。

12　マサキモザイク病は、肥料不足により発生する。

13　庭石をワイヤロープを使って吊り上げる場合、浅絞りにして吊り上げるとロープがはずれにくく、深絞りよりも安全に作業ができる。

14　普通れんがは、積み上げる前に水湿《みずしめ》ししておくとよい。

15　石積み工事の裏込めとは、石積みの石の下に栗石や砂利を入れて沈下を防ぐことである。

16　ナツツバキは、乾燥に強い樹木である。

17　ピートモスは、有機質土壌改良材として利用される。

［A群（真偽法）］

18　メタセコイヤ、ガクアジサイ及びヤマモモは、いずれも外来樹である。

19　埴土は、砂壌土よりも透水性に優れる。

20　地被植物には、木本性や草本性のものもある。

21　20m²の庭園平面図を描く縮尺には、1：70が最も適している。

22　合成繊維巻尺は、鋼尺(スチールテープ)よりも精密性を要する測量に適している。

23　都市公園法関係法令によれば、県立の都市公園の区域内で博覧会や展示会の仮設工作物を設けて占用しようとするときは、県知事の許可を受けなければならない。

24　労働安全衛生法関係法令によれば、脚立は、脚と水平面との角度を75°以下として使用しなければならない。

25　チェーンソーを用いて行う立木の伐木には、当該業務に関する安全又は衛生のための特別教育は必要としない。

［B群（多肢択一法）］

1　枯山水庭園の特徴として、誤っているものはどれか。
　イ　石組と白砂
　ロ　一面の白砂
　ハ　白砂青松《はくしゃせいしょう》
　ニ　枯滝石組

2　茶庭に関する記述として、誤っているものはどれか。
　イ　茶室と共に設ける。
　ロ　茶事の使い勝手を考慮して造る。
　ハ　心字池《しんじいけ》を必要とする。
　ニ　狭い面積でも造ることができる。

3　庭石の部分の名称でないものはどれか。
　イ　天端《てんば》
　ロ　見付き
　ハ　見込み
　ニ　石の勢い

4　生垣の刈り込みに使用する機器として、適切なものはどれか。
　イ　チッパー
　ロ　チェーンソー
　ハ　ブロワー
　ニ　ヘッジトリマー

5　固い地面を掘り起こしたり岩石を掘削したりする道具として、一般に、最も適切なものはどれか。
　イ　スコップ
　ロ　ツルハシ
　ハ　エンピ
　ニ　ジョレン

6　コウライシバの芝張り作業に関する記述として、正しいものはどれか。
　イ　張芝の時期として、夏の猛暑時期は避けた方がよい。
　ロ　張芝の手順は、整地 → 芝の植え付け → 灌水 → 転圧 → 目土《めつち》かけである。
　ハ　酸性の土壌では、あらかじめ石灰窒素で中和する。
　ニ　目土は、芝が完全に隠れるように土をかけるのがよい。

［B群（多肢択一法）］

7　四つ目垣の作り方に関する記述として、誤っているものはどれか。

イ　立子は、元口節止めとする。

ロ　間柱と立子の高さは、同じとする。

ハ　胴縁は、一段ごとに、元口、末口を交互に使う。

ニ　立子の本数には、決まりがない。

8　植栽工事に関する記述として、誤っているものはどれか。

イ　ケヤキを搬入したが、樹高が高すぎたので、深植えにした。

ロ　マツを植えるときに、土ぎめ(突《つ》きぎめ)にした。

ハ　カシを植栽した後に水鉢を設けた。

ニ　搬入材のサツキの樹高が高すぎたので、植栽後、刈込みをして高さを揃えた。

9　樹木の支柱に関する記述として、誤っているものはどれか。

イ　鳥居型支柱は、街路樹に多く使用される。

ロ　八つ掛け支柱は、1本の支柱を打ち込んで使用する。

ハ　布掛け支柱は、列植又は寄せ植えされた一群の樹木に対して使用する。

ニ　方杖支柱は、老大木の傾斜した幹や、横に伸びたり、下垂した大枝等を支えるために使用する。

10　生垣に使用する樹木の選定条件として、適切でないものはどれか。

イ　下枝が枯れやすくても、珍しい品種であること。

ロ　排気ガス等の公害に耐えること。

ハ　萌芽力が強くて、刈り込みに耐えること。

ニ　発育が旺盛で、病害虫の被害が少ないこと。

11　樹木の剪定に関する記述として、誤っているものはどれか。

イ　樹勢の強い部分の枝は、強剪定をした。

ロ　ひこばえ(やご)及び徒長枝は、剪定した。

ハ　平行枝及びからみ枝は、剪定した。

ニ　ふところ枝は、剪定せずそのままとした。

12　チャドクガが、好んで食害する樹木はどれか。

イ　モチノキ

ロ　ヤマモモ

ハ　ツバキ

ニ　ソヨゴ

［B群（多肢択一法）］

13　コンクリートブロック積み工事に関する記述として、一般に、適切でないものはどれか。

　イ　空洞コンクリートブロックは、通常、ブロック塀などに使われる。
　ロ　ブロック積みの前に、縦遣方《やりかた》をつくる。
　ハ　1日の積み上げ高の上限は、2mとする。
　ニ　凝結を始めたモルタルは、使用しない。

14　左官工事に関する記述として、誤っているものはどれか。

　イ　良質の材料を使用して、調合を正確に行う。
　ロ　下地面は、必要に応じて、水湿《みずしめ》しを行う。
　ハ　仕上げは、保護、養生に留意する。
　ニ　下塗り後は、乾燥を待たずに上塗りを行う。

15　コンクリートの締固めに使用される棒形振動機(バイブレータ)の使用方法として、適切なものはどれか。

　イ　型枠に当てながら使用する。
　ロ　鉄筋に当てながら使用する。
　ハ　引き抜くときは、一気に抜く。
　ニ　差し込むときは、鉛直に差し込む。

16　次のうち、一般に、やせ地に最も耐えることができる樹木はどれか。

　イ　ツバキ
　ロ　ニセアカシア
　ハ　ツツジ
　ニ　バラ

17　次のうち、陰樹はどれか。

　イ　アカマツ
　ロ　ネムノキ
　ハ　アオキ
　ニ　アメリカデイゴ

18　次のうち、春の花壇に使われる草花はどれか。

　イ　ケイトウ
　ロ　サルビア
　ハ　ヒガンバナ
　ニ　パンジー

［B群（多肢択一法）］

19　文中の(　　)内に当てはまる語句として、適切なものはどれか。

(　　)肥料は、主に茎、幹、根を充実させる効果がある。

イ　窒素

ロ　りん酸

ハ　カリ

ニ　カルシウム

20　粘土含有量の最も多い土壌はどれか。

イ　砂壌土

ロ　埴壌土

ハ　壌土

ニ　砂土

21　透視図に関する記述として、適切なものはどれか。

イ　遠近を考慮して描かれている。

ロ　施設寸法が、正確に読み取れる。

ハ　一般に、植栽図として利用される。

ニ　施設の位置が、正確に把握できる。

22　平板測量によって現場で描く測量図はどれか。

イ　透視図

ロ　立面図

ハ　断面図

ニ　平面図

23　次のうち、自然公園に分類されない公園はどれか。

イ　国立公園

ロ　国営公園

ハ　国定公園

ニ　海域公園

24　都市公園法関係法令によれば、都市公園の修景施設の組合せとして、正しいものはどれか。

イ　陸上競技場、彫像

ロ　花壇、ベンチ

ハ　植栽、つき山

ニ　門、噴水

［B群（多肢択一法）］

25　熱中症対策に関する記述として、適切でないものはどれか。

イ　定期的に水分及び塩分を摂取できる準備をする。

ロ　通気性のよい作業服を着用させる。

ハ　通風又は冷房設備を設ける。

ニ　熱への順化のため、高温多湿作業場所にて、長時間作業を行わせる。

令和３年度 技能検定
２級 造園 学科試験問題
(造園工事作業)

1. 試験時間　１時間 40 分
2. 問題数　50 題(A 群 25 題、B 群 25 題)
3. 注意事項

(1)　係員の指示があるまで、この表紙はあけないでください。

(2)　答案用紙(真偽法と多肢択一法の併用)に検定職種名、作業名、級別、受検番号、氏名を必ず記入してください。

(3)　係員の指示に従って、問題数を確かめてください。それらに異常がある場合は、黙って手を挙げてください。問題は A 群(真偽法)と B 群(多肢択一法)とに分かれています。

(4)　試験開始の合図で始めてください。

(5)　解答の方法(真偽法と多肢択一法の併用)は次のとおりです。

イ.　A 群の問題(真偽法)は、一つ一つの問題の内容が正しいか、誤っているかを判断して解答してください。

ロ.　B 群の問題(多肢択一法)は、正解と思うものを一つだけ選んで、解答してください。二つ以上に解答した場合は誤答となります。

ハ.　答案用紙(マークシート用紙)へ解答する際は、答案用紙に記載されている注意事項に従ってください。

ニ.　答案用紙の解答欄は、A 群の問題と B 群の問題とでは異なります。所定の解答欄に、試験問題の題数に応じて解答してください。解答欄は A 群は 50 題まで、B 群は 25 題まで解答できるようになっています。

(6)　電子式卓上計算機その他これと同等の機能を有するものは、使用してはいけません。

(7)　携帯電話、スマートフォン、ウェアラブル端末等は、使用してはいけません。

(8)　試験中、質問があるときは、黙って手を挙げてください。ただし、試験問題の内容、漢字の読み方等に関する質問にはお答えできません。

(9)　試験終了時刻前に解答ができあがった場合は、黙って手を挙げて、係員の指示に従ってください。

(10)　試験中に手洗いに立ちたいときは、黙って手を挙げて、係員の指示に従ってください。

(11)　試験終了の合図があったら、筆記用具を置き、係員の指示に従ってください。

［A群（真偽法）］

1　枯山水とは、水を使わずに石や砂を使用して、水の景を象徴的に表現した庭園形式をいう。

2　カスケードとは、貯水池のことをいう。

3　飛石のちりとは、飛石の厚さをいう。

4　街路樹の大枝の剪定に使用するのこぎりには、竹ひきのこが適している。

5　れんがごては、モルタルを練ったり、取ったりするときに使用する。

6　造園工事において、降雨は、作業効率を低下させる要因の一つである。

7　曲線の多い庭の地割りは、一般に、方眼状に地割りするとよい。

8　延段の目地は、四つ目地、通し目地又は八つ巻きにするのがよい。

9　埴土は、一般に、水分や空気の流通が悪く、植物の成長が抑制される。

10　てんぐす病は、サクラ、シイノキ等によくつく病気で、枝の一部が著しく変形し、密生する。

11　砂質土壌は、肥料分の保持が困難であるので、有機質の肥料を施肥するとよい。

12　クロマツのみどり摘み(新芽摘み)は、秋に行う。

13　労働安全衛生法関係法令によれば、著しい損傷又は腐食のある繊維ロープは、揚貨装置の玉掛けに使用してはならない。

14　交通量が少なく、大型車も少ない道路などに用いられる簡易舗装とは、通常、表層及び路盤から構成され、表層の厚さが3～4cm程度の舗装をいう。

15　れんがは、一般に、いも目地になるように積むのが基本である。

16　コケ類、クローバー及びリュウノヒゲは、いずれも地被植物である。

17　マンサクの開花期は、初秋である。

18　チューリップ、スイセン、クロッカス及びヤマユリは、いずれも球根植物である。

［Ａ群（真偽法）］

19　新木《あらき》とは、以前に、根回しも移植も行ったことのない樹木のことをいう。

20　鉄平石及び根府川石は、いずれも安山岩である。

21　図面において、中心線は、一般に、細い一点鎖線で表される。

22　レベルは、水平角や鉛直角を精密に測る機器である。

23　都市公園法関係法令によれば、都市公園の施設のうち、滝は、修景施設、砂場は、遊戯施設に分類される。

24　労働安全衛生法関係法令によれば、脚立は、脚と水平面との角度を80°以下として使用しなければならないとされている。

25　作業中に災害が発生した場合には、被災者の救助、二次災害の防止、関係先への連絡などの措置をとる必要がある。

［B群（多肢択一法）］

1　フランス式庭園の説明として、誤っているものはどれか。
　イ　イタリア式の立体式に対して平面的である。
　ロ　園路が直交する場所には、その交点に噴水、彫刻などを置く。
　ハ　曲線園路が多く用いられている。
　ニ　主要建築物の周辺に花壇をつくることが多い。

2　日本庭園の様式とその代表的庭園の組合せとして、正しいものはどれか。
　　（様式）　　　　　（庭園）
　イ　枯山水　・・・　桂離宮庭園
　ロ　茶庭　　・・・　大徳寺大仙院庭園
　ハ　回遊式　・・・　二条城二の丸庭園
　ニ　浄土式　・・・　平等院庭園

3　樹木本来の樹形に関係なく人工的に刈り込み、彫刻的な表現を行うものはどれか。
　イ　トレリス
　ロ　トピアリー
　ハ　カナール
　ニ　パーゴラ

4　金閣寺垣の製作に使用しない工具はどれか。
　イ　水糸
　ロ　突き棒
　ハ　かなづち
　ニ　くり針

5　石材の表面仕上げに使う道具はどれか。
　イ　こやすけ
　ロ　びしゃん
　ハ　バール
　ニ　このきり

6　クスノキの植栽に関する記述として、誤っているものはどれか。
　イ　掘り取りは、ふるい掘りで行った。
　ロ　掘り取り前に十分灌水した。
　ハ　植え付けは、水極めで行った。
　ニ　植え付け後、支柱を取り付けた。

［B群（多肢択一法）］

7　高さ4mの直幹のハナミズキを、街路の狭い植樹帯に植える場合の支柱として、適切なものはどれか。
　イ　竹を使用した八つ掛け支柱
　ロ　丸太を使用した方杖支柱
　ハ　丸太を使用した鳥居支柱
　ニ　丸太を使用した布掛け支柱

8　四つ目垣の製作に関する記述として、適切でないものはどれか。
　イ　胴縁の水平に注意する。
　ロ　胴縁の元口と末口の向きは、同じ方向に揃える。
　ハ　親柱の建入れは、垂直になるようにする。
　ニ　柱付きの節止めの角度に注意する。

9　敷石施工に関する記述として、誤っているものはどれか。
　イ　床掘りし、よく突き固め、砂を入れて行う。
　ロ　外線及び高さは、水糸を使用して作業する。
　ハ　水平を見るのに、水平器を使用するとよい。
　ニ　見栄えをよくするため、厚さ12cmの敷石のちりを10cmにするとよい。

10　樹木の植込み作業に関する記述として、誤っているものはどれか。
　イ　ソヨゴなど、樹皮のはがれやすい樹木をロープを用いて2点で吊り上げ移植した。
　ロ　植付け後、蒸散抑制剤を使って養生した。
　ハ　水極め後、水鉢をきっておいた。
　ニ　植付け時、安定を保つため支柱を立てずに深植えをした。

11　剪定、整姿に関する記述として、誤っているものはどれか。
　イ　同一方向に枝が重ならないように剪定する。
　ロ　幹吹き、ひこばえは、剪定する。
　ハ　毎年同じ枝の位置で剪定する。
　ニ　逆さ枝にならないように剪定する。

12　高枝剪定ばさみによる剪定が適しているものはどれか。
　イ　モミジの小《こ》透《ず》かし剪定
　ロ　マツのみどり摘み
　ハ　樹木の高い所にある不要枝の剪定
　ニ　クロマツの段づくり

［B群（多肢択一法）］

13　コンクリートの打設に関する記述として、適切なものはどれか。
　イ　激しく雨が降っていたが、フレッシュコンクリート(生コン)を打設した。
　ロ　打設時にコンクリートが固まり始めたので、水を加えた。
　ハ　コンクリートが少し足りなくなったので、砂と水を加えた。
　ニ　打設後、乾燥しないように適時、散水を行った。

14　盛土用の土として、最も適切なものはどれか。
　イ　大量の水分を含んだ土
　ロ　木の根が混じった土
　ハ　凍った土
　ニ　砂礫の土

15　造園作業におけるれんが積み工事の1日の積み高さとして、一般に、適切なものはどれか。
　イ　1.2m
　ロ　2.2m
　ハ　3.2m
　ニ　4.2m

16　イロハモミジに関する記述として、誤っているものはどれか。
　イ　葉序は、互生である。
　ロ　実は、翼果で、実生もできる。
　ハ　樹液の流動期が早い。
　ニ　寒冷な気候が適している。

17　すす病の被害を最も受けやすい樹木はどれか。
　イ　ヤマモモ
　ロ　モチノキ
　ハ　ソメイヨシノ
　ニ　エンジュ

18　花壇によく用いられる植物とその季節に関する組合せとして、誤っているものはどれか。

	(季節)		(植物)
イ	春花壇	・・・	パンジー、デージー
ロ	夏花壇	・・・	マリーゴールド、ホウセンカ
ハ	秋花壇	・・・	サルビア、コスモス
ニ	冬花壇	・・・	ハボタン、ハゲイトウ

［Ｂ群（多肢択一法）］

19　陽樹と陰樹の組合せとして、誤っているものはどれか。

	（陽樹）		（陰樹）
イ	ハナミズキ	・・・	アオキ
ロ	イチイ	・・・	ハナカイドウ
ハ	ソメイヨシノ	・・・	ヤツデ
ニ	アカマツ	・・・	カクレミノ

20　灯籠《とうろう》に関する記述として、正しいものはどれか。

イ　春日灯籠は、宝珠、笠、火袋、中台、竿及び基礎でできている。
ロ　灯籠は、仏教とともに江戸時代に伝わった。
ハ　生込み型灯籠には基礎がある。
ニ　雪見灯籠は、庭園の中でなるべく高い所に据えるのがよい。

21　植栽する樹木の位置を示す図面はどれか。

イ　断面図
ロ　正面図
ハ　平面図
ニ　立面図

22　平板測量に使わないものはどれか。

イ　レベル
ロ　ポール
ハ　アリダード
ニ　巻尺

23　都市公園の施設のうち、教養施設はどれか。

イ　図書館
ロ　噴水
ハ　休憩所
ニ　駐車場

24　都市公園法関係法令によれば、都市公園の標準面積として、正しい組合せはどれか。

	（都市公園）		（標準面積）
イ	街区公園	・・・	標準面積0.25ha
ロ	街区公園	・・・	標準面積1.00ha
ハ	地区公園	・・・	標準面積2.00ha
ニ	地区公園	・・・	標準面積3.00ha

［B群（多肢択一法）］

25　クレーンに関する記述として、誤っているものはどれか。

イ　つり上げ荷重1トン以上のクレーン操作は資格が必要だが、玉掛けの業務は熟練者であれば資格等がなくても作業してよい。

ロ　玉掛け用ワイヤーロープ、フック等は使用前に点検し、荷重に適したものを使用する。

ハ　操作に関し、合図の方法と合図指示者を定め、関係者に周知させる。

ニ　運搬重量、つり重量はあらかじめ確認する。

令和5年度 技能検定
1級 造園 学科試験問題
(造園工事作業)

1. 試験時間　1時間40分
2. 問題数　50題(A群25題、B群25題)
3. 注意事項
   (1) 係員の指示があるまで、この表紙はあけないでください。
   (2) 答案用紙(真偽法と多肢択一法の併用)に検定職種名、作業名、級別、受検番号、氏名を必ず記入してください。
   (3) 係員の指示に従って、問題数を確かめてください。それらに異常がある場合は、黙って手を挙げてください。問題はA群(真偽法)とB群(多肢択一法)とに分かれています。
   (4) 試験開始の合図で始めてください。
   (5) 解答の方法(真偽法と多肢択一法の併用)は次のとおりです。
      イ. A群の問題(真偽法)は、一つ一つの問題の内容が正しいか、誤っているかを判断して解答してください。
      ロ. B群の問題(多肢択一法)は、正解と思うものを一つだけ選んで、解答してください。二つ以上に解答した場合は誤答となります。
      ハ. 答案用紙(マークシート用紙)へ解答する際は、答案用紙に記載されている注意事項に従ってください。
      ニ. 答案用紙の解答欄は、A群の問題とB群の問題とでは異なります。所定の解答欄に、試験問題の題数に応じて解答してください。解答欄はA群は50題まで、B群は25題まで解答できるようになっています。
   (6) 電子式卓上計算機その他これと同等の機能を有するものは、使用してはいけません。
   (7) 携帯電話、スマートフォン、ウェアラブル端末等は、使用してはいけません。
   (8) 試験中、質問があるときは、黙って手を挙げてください。ただし、試験問題の内容、漢字の読み方等に関する質問にはお答えできません。
   (9) 試験終了時刻前に解答ができあがった場合は、黙って手を挙げて、係員の指示に従ってください。
   (10) 試験中に手洗いに立ちたいときは、黙って手を挙げて、係員の指示に従ってください。
   (11) 試験終了の合図があったら、筆記用具を置き、係員の指示に従ってください。

［A群（真偽法）］

1　緩衝緑地とは、大気汚染や騒音などを防止する目的で、公害発生地域と居住地域との間に設けられる緑地のことをいう。

2　水琴窟(洞水門《どうすいもん》)は、降り蹲踞《つくばい》とも呼ばれている。

3　地ごては、主に地面を平らにしたり、庭木を植え付けた後の土の押さえ作業などに使用する手工具である。

4　直角を出すために使用される大矩《おおがね》の各辺の比率は、3：5：7である。

5　工程表の作成における順行法とは、竣工期日から各工事の施工期日を割り当て、工期内に収める方法をいう。

6　ねむりとは、垣根の立子の曲がりを直すため、のこぎりで凸面に入れる挽《ひき》目をいう。

7　幹が2本以上ある樹木の場合、各々の周長の総和をその樹木の幹周りとする。

8　三本支柱(八つ掛け支柱)において、樹木を支える位置は、一般に、樹高の2／3程度の高さとするのがよい。

9　飛石の千鳥打ちとは、直線上に大きい飛石と小さい飛石を交互に打つ方法をいう。

10　常緑の高木を移植する場合の掘取り法には、根巻きが適している。

11　コスカシバの幼虫は、サクラやウメなどの幹や枝に潜り込んで食害する。

12　マツの手入れ法の「みどり摘み」とは、前年の古葉を取ることをいう。

13　大豆かすは、窒素分を多く含んだ肥料である。

14　労働安全衛生法関係法令によれば、直径の減少が公称径の7%を超えるワイヤロープは、移動式クレーンの玉掛け用具として使用してはならない。

15　無筋れんが積み工事において、施工途中で1日の作業を終了するときは、一般に、積み終わり面を段逃げとする。

16　心土は、一般に、表土に比べて植物の生育上、良い条件を備えている。

17　バーミキュライトは、有機質土壌改良材である。

［A群（真偽法）］

18　透視図には、寸法を表示する必要はない。

19　日本産業規格(JIS)によれば、次の材料構造表示記号は、コンクリートを表す。

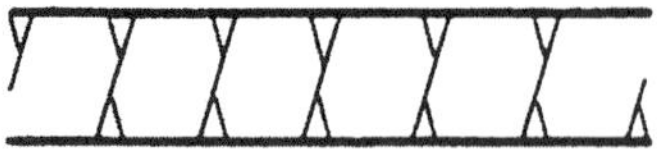

20　歩掛りとは、造園工事を行うのに必要な作業員の延べ人員のことをいう。

21　プラニメータは、図面上の面積を測定する機器である。

22　レベル測量に用いるスタッフ(標尺・箱尺)の最小目盛は、5mm刻みである。

23　平板測量は、平板(測板)・三脚・アリダード・磁針器・求心器・下げ振りなどの諸器具を用い、距離・方向・高さなどの測定結果を、平板に張った図紙上に現地で図化する測量方法である。

24　自然公園法関係法令によれば、国立公園の特別地域(特別保護地区を除く。)内で土石を採取するときは、原則として、環境大臣の許可を受けなければならない。

25　労働安全衛生法関係法令によれば、チェーンソーを用いて行う立木の伐木には、当該業務に関する安全又は衛生のための特別教育を必要としない。

［Ｂ群（多肢択一法）］

1　庭園及び公園の特徴に関する記述として、適切なものはどれか。
　イ　パティオは、イギリスで発達した中庭形式の庭園である。
　ロ　露壇式庭園は、ドイツで発達し、ヨーロッパ中に広まった。
　ハ　イエローストーン国立公園は、アメリカの自然公園である。
　ニ　市民農園の原点となる分区園は、フランスで始まった。

2　日本庭園の様式とその代表例及び作られた時代の組合せとして、適切なものはどれか。

	（様式）	（代表例）	（作られた時代）
イ	回遊式庭園	栗林公園	江戸時代
ロ	茶庭	宇治平等院	平安時代
ハ	浄土式庭園	龍安寺	室町時代
ニ	枯山水	無鄰庵	桃山時代

3　蹲踞《つくばい》の役石として、使われるものはどれか。
　イ　踏石
　ロ　水汲《くみ》石
　ハ　手燭石
　ニ　水落石

4　造園工事における作業とそれに使用する建設機械の組合せとして、一般に、適切でないものはどれか。

	（作業）		（使用する建設機械）
イ	植穴の掘削	・・・	ミニバックホウ
ロ	芝生の転圧	・・・	ローラ
ハ	土砂の小運搬	・・・	ホイール式ローダ
ニ	石の据付け	・・・	パワーショベル

5　石積みにおいて、石を割るのに適した工具はどれか。
　イ　掛矢
　ロ　金てこ
　ハ　レンガごて
　ニ　こやすけ

6　石積みの施工順序として、適切なものはどれか。

イ	床掘り	→	丁張り	→	割栗地業	→	石積み
ロ	床掘り	→	割栗地業	→	丁張り	→	石積み
ハ	丁張り	→	床掘り	→	割栗地業	→	石積み
ニ	丁張り	→	割栗地業	→	床掘り	→	石積み

［B群（多肢択一法）］

7　芝生地の造成に関する記述として、適切なものはどれか。

イ　目土の量は、芝の茎葉が半分隠れる程度がよい。

ロ　目地張りは、縦目地、横目地とも通して整然と張るのがよい。

ハ　播種や植芝には、元肥を必要としない。

ニ　芝生地には、目土の流失を防ぐため、排水勾配をつけない。

8　竹垣で、組子を斜め組子とするものはどれか。

イ　鶯《うぐいす》垣

ロ　鉄砲垣

ハ　桂垣

ニ　龍安寺垣

9　土壌改良材とその用途の組合せとして、適切でないものはどれか。

（土壌改良材）　　　　　　（用途）

イ　木炭 ・・・・・・・・・・・ 土壌の透水性の改善

ロ　炭酸カルシウム肥料 ・・・ アルカリ性土壌の改良

ハ　ピートモス ・・・・・・・ 土壌の膨軟化

ニ　ゼオライト ・・・・・・・ 土壌の保肥力の改善

10　踏分石に関する説明として、適切でないものはどれか。

イ　飛石の分岐点に据える。

ロ　一連の飛石よりも大きめの石を使う。

ハ　一般に、一連の飛石よりもちりが低くなるように据える。

ニ　伽藍石《がらんせき》などを使うこともある。

11　葉の表面に白い粉のようなカビが多数発生する樹木の病気はどれか。

イ　てんぐす病

ロ　うどんこ病

ハ　さび病

ニ　炭そ病

12　次期の花を良く咲かせるために行う剪定として、適切なものはどれか。

イ　ジンチョウゲを1月に剪定した。

ロ　サツキを秋に整姿のため強く刈り込んだ。

ハ　キンモクセイを夏期に刈り込んだ。

ニ　アジサイを花後に剪定整姿した。

［B群（多肢択一法）］

13　玉掛け用ワイヤロープの基本安全荷重(玉掛け用具1本又は1個を用いて垂直につることができる最大荷重)を求める計算式はどれか。

イ　切断荷重÷(ロープ径×安全係数)

ロ　ロープ径÷(切断荷重×換算係数)

ハ　(切断荷重×安全係数)÷換算係数

ニ　切断荷重÷(安全係数×換算係数)

14　コンクリート(普通ポルトランドセメント)の打設に関する記述として、適切でないものはどれか。

イ　コンクリートの流動性を良くするため、打込み前に水を加えるとよい。

ロ　コンクリートを打ち込む際に使用するバイブレータ(振動機)は、型枠に接触させないように使用するのがよい。

ハ　夏期のコンクリート打込み後の養生では、一般に、コンクリートに湿気を与えるとよい。

ニ　打込み後5日間以上、コンクリートの温度を2℃以上に保つ。

15　護岸工事に関する記述として、適切でないものはどれか。

イ　しがらみ護岸は、適当な間隔で立てた杭に、割竹や木の枝を編みつける工法である。

ロ　草止め護岸は、池の岸に芝や草を植えて土を押さえる工法である。

ハ　州浜護岸は、一定間隔で立てた留め杭の背後に、細身の丸太を水平に積み上げる工法である。

ニ　乱杭護岸は、丸太、六方石等を不揃いに立て込む工法である。

16　庭園に使用する化粧砂(砂利)の記述として、適切でないものはどれか。

イ　桜川砂(砂利)・・・花こう岩が風化したもので、さびが強く、褐色である。

ロ　伊勢砂(砂利)・・・主に伊勢地方に産出する砂利で、黒色のものである。

ハ　白川砂(砂利)・・・白川石が風化したもので、白く美しい。

ニ　五色砂(砂利)・・・各地で産出する複数の色の石が混ざったものである。

17　樹木の説明として、適切でないものはどれか。

イ　クロマツは、陰樹である。

ロ　イチイは、耐寒性がある。

ハ　ハンノキは、湿地に耐える。

ニ　クロガネモチは、雌雄異株である。

18　次のうち、宿根草でないものはどれか。

イ　キク

ロ　マリーゴールド

ハ　ガーベラ

ニ　キキョウ

［B群（多肢択一法）］

19　樹木の増殖法に関する記述として、適切でないものはどれか。

イ　さし木は、母樹の性質を正確に受け継ぐ方法である。

ロ　接木には、切り接ぎ、寄せ接ぎ等がある。

ハ　取り木は、品種改良を目的とした有性繁殖である。

ニ　株分けは、生育している植物を分割して増殖させる方法である。

20　樹木の地中部分の根系に関する記述として、適切でないものはどれか。

イ　直根(主根)とは、幹の真下から直下に伸びる根をいう。

ロ　側根とは、横方向に伸びる根をいう。

ハ　細根には、根毛が生えている。

ニ　細根とは、主として樹木を支える役目をする根をいう。

21　一般に、各図面の種類とその縮尺の組合せとして、最も適切なものはどれか。

	(平面図)	(立面図)	(詳細図)
イ	1：100	1：100	1：100
ロ	1：100	1：100	1：10
ハ	1：50	1：100	1：200
ニ	1：50	1：200	1：100

22　日本産業規格(JIS)によれば、図面において、対象物の見えない部分(隠れた部分)の形状を表す線として、適切なものはどれか。

イ　細いジグザグ線

ロ　細い実線

ハ　細い破線

ニ　細い二点鎖線

23　測量に使用する用語でないものはどれか。

イ　フォア・サイト

ロ　ベンチ・マーク

ハ　バック・サイト

ニ　パースグリッド

24　文中の(　　)内に当てはまる数値として、正しいものはどれか。

都市公園法関係法令によれば、都市公園の規模の基準について、主として街区内に居住する者の利用に供することを目的とする都市公園の敷地面積は、(　　)haを標準として定めることと規定されている。

イ　0.25

ロ　2

ハ　4

ニ　10

［B群（多肢択一法）］

25　文中の(　　)内に当てはまる数値として、適切なものはどれか。

労働安全衛生法関係法令によれば、事業者は、(　　)m以上の高所から物体を投下するときは、適当な投下設備を設け、監視人を置く等労働者の危険を防止するための措置を講じなければならないと規定されている。

イ　5

ロ　3

ハ　2.5

ニ　2

令和４年度 技能検定
１級 造園 学科試験問題
（造園工事作業）

1. 試験時間　1時間40分
2. 問題数　50題(A群25題、B群25題)
3. 注意事項

(1)　係員の指示があるまで、この表紙はあけないでください。

(2)　答案用紙(真偽法と多肢択一法の併用)に検定職種名、作業名、級別、受検番号、氏名を必ず記入してください。

(3)　係員の指示に従って、問題数を確かめてください。それらに異常がある場合は、黙って手を挙げてください。問題はA群(真偽法)とB群(多肢択一法)とに分かれています。

(4)　試験開始の合図で始めてください。

(5)　解答の方法(真偽法と多肢択一法の併用)は次のとおりです。

イ.　A群の問題(真偽法)は、一つ一つの問題の内容が正しいか、誤っているかを判断して解答してください。

ロ.　B群の問題(多肢択一法)は、正解と思うものを一つだけ選んで、解答してください。二つ以上に解答した場合は誤答となります。

ハ.　答案用紙(マークシート用紙)へ解答する際は、答案用紙に記載されている注意事項に従ってください。

ニ.　答案用紙の解答欄は、A群の問題とB群の問題とでは異なります。所定の解答欄に、試験問題の題数に応じて解答してください。解答欄はA群は50題まで、B群は25題まで解答できるようになっています。

(6)　電子式卓上計算機その他これと同等の機能を有するものは、使用してはいけません。

(7)　携帯電話、スマートフォン、ウェアラブル端末等は、使用してはいけません。

(8)　試験中、質問があるときは、黙って手を挙げてください。ただし、試験問題の内容、漢字の読み方等に関する質問にはお答えできません。

(9)　試験終了時刻前に解答ができあがった場合は、黙って手を挙げて、係員の指示に従ってください。

(10)　試験中に手洗いに立ちたいときは、黙って手を挙げて、係員の指示に従ってください。

(11)　試験終了の合図があったら、筆記用具を置き、係員の指示に従ってください。

［A群（真偽法）］

1　鹿苑寺(金閣寺)の庭園形式は、中庭式庭園である。

2　茶室のにじり口の役石のうち、2番石を落とし石という。

3　このきりは、大型の木づちのことである。

4　バックホウは、主として、設置された地盤よりも低い所の掘削に適している。

5　工程表を作成するときは、天候による作業不能の期間を考慮する必要がある。

6　強酸性の土は、一般に、植物の生育には適していない。

7　山掘り樹木の移植の場合、枝葉を1/3以上剪定するのは、主として、運搬時の枝折れを防ぐためである。

8　常緑の高木を移植する場合は、振るい掘りが適している。

9　老化した生垣を若返らせる方法の一つに、根切りがある。

10　柴垣とは、桂垣や蓑垣のように竹穂を用いた垣のことをいう。

11　ふところ枝は、樹木の根元から出る枝である。

12　樹木剪定において、摘心は、樹の新梢の先端を摘む方法のことで、木質化しないうちに行うのがよい。

13　油かす、鶏糞などは、速効性肥料として多く使用されている。

14　玉掛け作業で、ワイヤロープのつり角度を大きくすると、荷に加わる圧縮力も大きくなる。

15　急傾斜地に盛土する場合は、あらかじめ段切りをするとよい。

16　クマザサ、オカメザサ、テイカカズラは、すべて草本性地被植物である。

17　バーミキュライトは、無機質土壌改良材である。

［A群（真偽法)］

18　日本産業規格(JIS)によれば、次は、割栗を表す材料構造表示記号である。

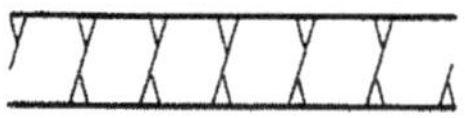

19　法面勾配において、1：1.5と表示されている場合、1.5は垂直方向を表す。

20　工事費は、工種ごとの経費と所要の諸経費などを積み上げて算出する。

21　一般的な測量に使用するポールは、長さ20cmごとに赤と白に塗り分けられている。

22　鋼製巻尺は、一般に、合成繊維製巻尺よりも距離測定における精度が高い。

23　水準測量において、レベルの観測者は、標尺(スタッフ)の読みの最小値を読みとるとよい。

24　都市公園法関係法令によれば、都市公園の中に設けられる駐車場は、公園施設ではない。

25　労働安全衛生法関係法令によれば、岩盤又は堅い粘土からなる5m以上の地山(砂地や発破等により崩れやすい状態の地山を除く。)の掘削面のこう配は、90°である。

［B群（多肢択一法）］

1　枯山水式でない庭園はどれか。

　イ　大徳寺大仙院書院庭園
　ロ　龍安寺方丈庭園
　ハ　天龍寺庭園
　ニ　南禅寺金地院庭園

2　庭園と庭園様式の組合せとして、正しいものはどれか。

　　（庭園）　　　　　　　　（庭園様式）
　イ　イギリス式庭園　・・・　風景式庭園
　ロ　フランス式庭園　・・・　露壇式庭園
　ハ　スペイン式庭園　・・・　平面幾何学式庭園
　ニ　イタリア式庭園　・・・　中庭式庭園

3　塀や生垣等に沿って設けられる帯状の花壇はどれか。

　イ　沈床花壇
　ロ　ウォール花壇
　ハ　境栽花壇
　ニ　寄植え花壇

4　地面の整地に使用する工具はどれか。

　イ　こうがい板
　ロ　こやすけ
　ハ　くりばり
　ニ　突《つ》き棒

5　次のうち、高枝剪定ばさみの用途として、正しいものはどれか。

　イ　トキワマンサクの生垣の刈り込みに使用する。
　ロ　アラカシの三葉《みっぱ》透かしに使用する。
　ハ　アカマツのみどり摘みに使用する。
　ニ　フサアカシア(ミモザ)の徒長枝を切るのに使用する。

6　施工計画を作成する際に考慮する必要のない事項はどれか。

　イ　庭園の完成後の管理者
　ロ　作業員の手配
　ハ　搬入路
　ニ　ゴミの処分方法と処分地

［B群（多肢択一法）］

7　滝石組に関する記述として、適切なものはどれか。

イ　大振りと小振りの石を組み合わせて使う方がよい。

ロ　角のとれたやさしい丸みのある石を使う方がよい。

ハ　種類の違った石を多く使う方がよい。

ニ　なるべく小さい石を数多く使う方がよい。

8　芝生地の造成に関する記述として、正しいものはどれか。

イ　芝生地は、根腐れを防止するため、排水勾配をつける。

ロ　目地張りは、縦目地、横目地とも通して整然と張るのがよい。

ハ　播種や植芝には、基肥を必要としない。

ニ　目土《めっち》は、春期は薄めに、夏期は厚めにする。

9　ケヤキの植栽とその後の養生に関する記述として、最も適切なものはどれか。

イ　植え込みは、土ぎめとし、後で水を施した。

ロ　植え込みは、水ぎめとし、新葉が出た時に灌水管理をした。

ハ　植え込みは、根が乾燥しないように深植えとし、しっかり水を施した。

ニ　植え込みは、足でしっかり踏み、十分土をかけたので、水は必要でない。

10　土壌中の腐植に関する記述として、正しいものはどれか。

イ　土壌中の微生物の活動を抑制する。

ロ　土壌の単粒化を促進する。

ハ　心土中に多く存在する。

ニ　土壌の膨軟化を促進する。

11　樹木剪定の手法のうち、大透かし、中透かし及び小透かしの剪定手法があるものはどれか。

イ　切詰剪定

ロ　切返し剪定

ハ　枝おろし剪定

ニ　枝抜き剪定

12　街路樹の冬期剪定に関する記述として、誤っているものはどれか。

イ　イチョウは、樹冠が円錐《すい》形になるように剪定するのが基本である。

ロ　ヤナギは、車道の枝の下端が地上から2mになるように残すとよい。

ハ　エンジュは、卵型の樹型を損なわないように剪定する。

ニ　ケヤキは、素直に伸びる枝を生かすため、枝抜き剪定が主体となる。

［B群（多肢択一法）］

13　クレーン等安全規則において規定されている移動式クレーンの玉掛用具の安全係数に関する記述として、誤っているものはどれか。

イ　フックの安全係数は、5以上でなければ使用してはならない。

ロ　つりチェーンの安全係数は、6以上でなければ使用してはならない。

ハ　シャックルの安全係数は、5以上でなければ使用してはならない。

ニ　ワイヤロープの安全係数は、6以上でなければ使用してはならない。

14　れんが積み工事に関する記述として、一般に、適切でないものはどれか。

イ　1日の積み高さは、2～2.5mにする。

ロ　縦の目地を一直線に通さないようにする。

ハ　使用前にれんがを適度に湿らせておく。

ニ　1日の作業を中断するときは、段逃げとする。

15　舗装や芝生の特性に関する記述として、誤っているものはどれか。

イ　アンツーカー舗装は、色彩が美しく、排水性に優れている。

ロ　クレイ舗装は、降雨後乾きが早くほこりが立たない。

ハ　芝生は、ほこりが立ちにくく危険性が少ないが、周年利用には難点がある。

ニ　全天候型舗装は、ほこりが立ちにくく、天候にほとんど影響されない。

16　モチノキ科でない樹木はどれか。

イ　イヌツゲ

ロ　ソヨゴ

ハ　ウメモドキ

ニ　ネズミモチ

17　次の庭園用石材のうち、玄武岩はどれか。

イ　万成石

ロ　六方石

ハ　甲州鞍馬石

ニ　筑波石

18　雌雄異株の樹木はどれか。

イ　モチノキ

ロ　サルスベリ

ハ　アセビ

ニ　コブシ

［B群（多肢択一法）］

19　湿地に強い樹木はどれか。
　イ　ラクウショウ
　ロ　アカマツ
　ハ　ツガ
　ニ　クロマツ

20　前年の枝に花芽を付け、翌年開花するものはどれか。
　イ　サルスベリ
　ロ　ウメ
　ハ　キンモクセイ
　ニ　キョウチクトウ

21　造園設計図における略記号と記号が表すものの組合せとして、誤っているものはどれか。

	（略記号）		（記号が表すもの）
イ	ϕ	・・・・	直径
ロ	WL	・・・・	水面
ハ	GP	・・・・	ガス管
ニ	♯	・・・・	地盤

22　造園における平面図の描き方として、誤っているものはどれか。
　イ　主庭が南向きの場合は、南を上に描くことがある。
　ロ　平面図には、庭石までは表現しない。
　ハ　樹木の名前を書くとよい。
　ニ　樹高を書くとよい。

23　アリダードを構成する部材として、誤っているものはどれか。
　イ　縮尺定規
　ロ　視準板
　ハ　水準器
　ニ　下げ振り

24　都市公園法関係法令における公園施設とその種類の組合せとして、正しいものはどれか。

	（公園施設の種類）		（公園施設）
イ	便益施設	・・・・・	門、柵
ロ	修景施設	・・・・・	飛石、噴水
ハ	管理施設	・・・・・	売店、手洗場
ニ	休養施設	・・・・・	温室、野外劇場

［B群（多肢択一法）］

25　剪定作業の安全対策に関する記述として、誤っているものはどれか。

イ　樹木の腐れ枝、弱い枝などを確認し、体重をかける部分は特に注意する。

ロ　折りたたみ式の脚立を使用する場合、脚と水平面との角度が75°以下であれば、止め金具は止めないで使用してもよい。

ハ　枝の切り落としの際は、下の安全を確認する。

ニ　脚立は、必ず水平に据え付け、軟弱地の場合は、板などを敷き脚立の沈下を防ぐ。

令和３年度 技能検定
１級 造園 学科試験問題
（造園工事作業）

1. 試験時間　1時間40分
2. 問題数　50題(A群25題、B群25題)
3. 注意事項

(1)　係員の指示があるまで、この表紙はあけないでください。

(2)　答案用紙(真偽法と多肢択一法の併用)に検定職種名、作業名、級別、受検番号、氏名を必ず記入してください。

(3)　係員の指示に従って、問題数を確かめてください。それらに異常がある場合は、黙って手を挙げてください。問題はA群(真偽法)とB群(多肢択一法)とに分かれています。

(4)　試験開始の合図で始めてください。

(5)　解答の方法(真偽法と多肢択一法の併用)は次のとおりです。

イ.　A群の問題(真偽法)は、一つ一つの問題の内容が正しいか、誤っているかを判断して解答してください。

ロ.　B群の問題(多肢択一法)は、正解と思うものを一つだけ選んで、解答してください。二つ以上に解答した場合は誤答となります。

ハ.　答案用紙(マークシート用紙)へ解答する際は、答案用紙に記載されている注意事項に従ってください。

ニ.　答案用紙の解答欄は、A群の問題とB群の問題とでは異なります。所定の解答欄に、試験問題の題数に応じて解答してください。解答欄はA群は50題まで、B群は25題まで解答できるようになっています。

(6)　電子式卓上計算機その他これと同等の機能を有するものは、使用してはいけません。

(7)　携帯電話、スマートフォン、ウェアラブル端末等は、使用してはいけません。

(8)　試験中、質問があるときは、黙って手を挙げてください。ただし、試験問題の内容、漢字の読み方等に関する質問にはお答えできません。

(9)　試験終了時刻前に解答ができあがった場合は、黙って手を挙げて、係員の指示に従ってください。

(10)　試験中に手洗いに立ちたいときは、黙って手を挙げて、係員の指示に従ってください。

(11)　試験終了の合図があったら、筆記用具を置き、係員の指示に従ってください。

［A群（真偽法）］

1　フランス式庭園には、立体幾何学的要素を含んだもので、丘陵地につくられたものが多い。

2　カスケードは、平坦地に作られた平面水路のことである。

3　こやすけは、石工事の石割りに使用する。

4　直角二等辺三角形でない大矩《おおがね》は、各辺の長さの比率が 3：4：5 である。

5　バーチャート式工程表は、ネットワーク式工程表よりも各工種の相互関係が分かりやすい。

6　茶庭の中門の役石として、外露地側に客石、内露地側に亭主石が据えられる。

7　蹲踞《つくばい》の前石は、一般に、飛石よりも1.0～1.5cm高く据えるのがよい。

8　幹が2本以上の樹木の場合、各々の周長の総和の70%を樹木の幹周りとする。

9　三本支柱(八つ掛け支柱)において、樹木を支える箇所は、樹高の1/2の位置とするのがよい。

10　養垣の竹穂は、竹穂の穂先を下に向け、上部から順次かきつけるとよい。

11　樹木の大枝の適切な切断位置は、「枝の襟(ブランチカラー)」を傷つけないぎりぎりの部位である。

12　日照による枝葉の伸長度の低い北側では、強剪定が行われる。

13　骨粉類及び油かす類は、いずれも有機質肥料である。

14　労働安全衛生法関係法令によれば、クレーン、移動式クレーン又はデリックの玉掛け用ワイヤロープは、安全係数が 6 以上のものでなければ使用してはならない。

15　暑中における打込み後のコンクリートは、直射日光にさらすとよい。

16　イヌマキは、耐潮性の強い樹種である。

17　鞍馬石は、変成岩の一種である。

18　設計図書における仕様書には、標準仕様書と特記仕様書がある。

［A群（真偽法）］

19　植栽図に記入する樹木の高さに、徒長枝は含めない。

20　歩掛りとは、工事の原価計算に用いる単位当たりの標準労務量や標準資材量などのことをいう。

21　発光ダイオード(LED)を使用した光波測距儀の測定範囲は、100m以下である。

22　インバールテープは、温度膨張係数が非常に小さいので、高い精度の距離測定に適している。

23　水準測量に使用するレベル(水準儀)は、測点上に据え付ける。

24　都市公園における施設のうち、門、柵、掲示板、くず箱は、管理施設である。

25　労働安全衛生法関係法令によれば、掘削面の高さが2m以上の地山の掘削をする場合の作業主任者は、都道府県労働局長の免許を受けた者又は都道府県労働局長の登録を受けた者が行う技能講習を修了した者でなければならない。

［B群（多肢択一法）］

1　園名とその作者の組合せとして、誤っているものはどれか。

	（園名）		（作者）
イ	ベルサイユ宮苑	・・・・	アンドレ・ル・ノートル
ロ	旧古河庭園	・・・・	小堀遠州
ハ	セントラルパーク	・・・・	フレデリック・ロー・オルムステッド
ニ	西芳寺庭園	・・・・	夢窓疎石(国師)

2　回遊式庭園はどれか。
　イ　小石川後楽園
　ロ　宇治平等院庭園
　ハ　龍安寺方丈庭園
　ニ　大徳寺大仙院庭園

3　滝石組に使用しないものはどれか。
　イ　水越石
　ロ　水落石
　ハ　滝添石
　ニ　鏡石

4　大きな石の据付け作業に使用しないものはどれか。
　イ　移動式クレーン
　ロ　ウインチ
　ハ　せっとう
　ニ　かなてこ

5　野面積み作業に用いる道具の組合せとして、最も適切なものはどれか。
　イ　木槌、せり矢
　ロ　せっとう、くり針
　ハ　せり矢、地ごて
　ニ　せっとう、こやすけ

6　出合丁場《であいちょうば》の工事現場で、他の施工者と打合せを必要としない項目はどれか。
　イ　資材置き場の確保
　ロ　工程の調整
　ハ　資材の選定
　ニ　搬入路の確保

［Ｂ群（多肢択一法）］

7　クスノキの掘り取りの方法として、適切なものはどれか。
　イ　凍土法
　ロ　土付け法
　ハ　探り掘り
　ニ　振るい掘り

8　垣根の構造に関する記述として、誤っているものはどれか。
　イ　建仁寺垣は、親柱・間柱・胴縁・立子・押縁・玉縁からなる。
　ロ　四ツ目垣は、親柱・間柱・胴縁・立子からなる。
　ハ　金閣寺垣は、親柱・間柱・立子・押縁・玉縁からなる。
　ニ　御簾垣は、親柱・間柱・組子・押縁・玉縁からなる。

9　土壌改良に関する記述として、誤っているものはどれか。
　イ　保肥力の向上には、ゼオライトがよい。
　ロ　通気性の向上には、パーライトがよい。
　ハ　保水性の向上には、ピートモスがよい。
　ニ　透水性の向上には、ベントナイトがよい。

10　踏分石に関する説明として、誤っているものはどれか。
　イ　飛石の分岐点に据える。
　ロ　飛石よりも大きめの石を使う。
　ハ　伽藍石《がらんせき》などを使うこともある。
　ニ　飛石よりも、ちりはやや低めに据える。

11　枝の一部が変形し、たくさんの小枝が発生する樹木の病気はどれか。
　イ　てんぐす病
　ロ　炭そ病
　ハ　さび病
　ニ　うどんこ病

12　剪定の切り戻し(切り返し)作業において、最も適切な切り方はどれか。
　イ　芽の位置に関係なく切る。
　ロ　外芽の先で切る。
　ハ　内芽の先で切る。
　ニ　芽の上を長めに残して切る。

13　次のうち、原則として、禁止されている玉掛けの方法はどれか。
　イ　目通し1本づり
　ロ　目通し2本づり
　ハ　あまり返し
　ニ　あだ巻きづり

［B群（多肢択一法）］

14　護岸工事に関する記述として、誤っているものはどれか。

イ　しがらみ護岸は、留め杭の背後に細身の丸太を水平に積み上げる工法である。

ロ　草止め護岸は、緩やかな勾配の護岸に適したシバ、コケ、セキショウなどを用いる工法である。

ハ　州浜護岸は、特に緩やかな勾配の池縁に玉石、ごろた石などを敷き詰める工法である。

ニ　乱杭護岸は、丸太、六方石等を用い、不揃いに打ち込む工法である。

15　文中の(　　)内に当てはまる数値はどれか。

労働安全衛生法関係法令によれば、掘削面の高さが5m未満の岩盤又は堅い粘土からなる地山を手掘りで掘削する場合は、掘削面のこう配を(　　)度以下としなければならない。

イ　15

ロ　30

ハ　60

ニ　90

16　5月中に花芽分化する花木はどれか。

イ　サツキ

ロ　キンモクセイ

ハ　ハクモクレン

ニ　ライラック

17　実肥といわれているものはどれか。

イ　りん酸肥料

ロ　カリ肥料

ハ　窒素肥料

ニ　石灰肥料

18　樹木に関する記述として、正しいものはどれか。

イ　ヤマモモは、雌雄同株である。

ロ　ダイオウショウ(大王松)は、二葉松である。

ハ　ユリノキの増殖は、挿木がよい。

ニ　エンジュの葉は、羽状複葉である。

19　肥料に関する記述として、誤っているものはどれか。

イ　鶏ふんは、有機質肥料である。

ロ　化成肥料は、無機質肥料である。

ハ　肥料の三要素とは、窒素、リン酸及び石灰である。

ニ　石灰質肥料は、酸性土壌の改良に適している。

［B群（多肢択一法）］

20　宿根草はどれか。

イ　チューリップ
ロ　ガーベラ
ハ　クロッカス
ニ　ヒヤシンス

21　図面に用いる略記号と記号が表すものの組合せとして、誤っているものはどれか。

（略記号）　　（記号が表すもの）
イ　＃　・・・・・　番手
ロ　GP・・・・・　ガス管
ハ　t　・・・・・　厚み
ニ　WL・・・・・　重量

22　透視図の説明として、誤っているものはどれか。

イ　寸法が図面から正確に読み取れる。
ロ　完成した姿が容易に想像できる。
ハ　一般に、プレゼンテーションに使用される。
ニ　人間の目の高さかそれよりやや上方から眺めた図で描かれる。

23　測量機器の名称とその使用方法の組合せとして、正しいものはどれか。

（測量機器）　　（使用方法）
イ　スタッフ(標尺・箱尺)　・・・　鉛直に立てて内角を測る。
ロ　ポール　・・・　鉛直に立てて測点を指し示す。
ハ　錘《すい》球(下げ振り)　・・・　糸で下げて水平を示す。
ニ　アリダード　・・・　視準して平板を致心する。

24　国立公園の特別保護地区内で行う作業のうち、許可を要しないものはどれか。

イ　工作物の改築
ロ　木竹の伐採
ハ　水面の埋立て工事
ニ　非常災害のために必要な応急措置

25　文中の(　　)内に当てはまる数値として、正しいものはどれか。

労働安全衛生法関係法令によれば、油圧式伐倒機を使用するときを除き、伐倒しようとする立木の胸高直径が20cm以上であるときは、伐根直径の(　　)分の1以上の深さの受け口をつくることとされている。

イ　4
ロ　5
ハ　6
ニ　7

造園

正解表

令和５年度　２級　学科試験正解表
造園（造園工事作業）

真偽法

番号	１	２	３	４	５
正解	×	×	×	×	○

番号	６	７	８	９	１０
正解	×	○	×	×	○

番号	１１	１２	１３	１４	１５
正解	○	×	×	×	×

番号	１６	１７	１８	１９	２０
正解	○	○	×	×	○

番号	２１	２２	２３	２４	２５
正解	×	○	○	○	○

択一法

番号	１	２	３	４	５
正解	ハ	ロ	ロ	ニ	イ

番号	６	７	８	９	１０
正解	イ	ハ	ニ	ロ	イ

番号	１１	１２	１３	１４	１５
正解	ロ	ニ	ニ	イ	ロ

番号	１６	１７	１８	１９	２０
正解	ロ	イ	ハ	ニ	ロ

番号	２１	２２	２３	２４	２５
正解	ロ	ハ	ロ	ハ	イ

令和４年度　２級　学科試験正解表
造園（造園工事作業）

真偽法

番号	１	２	３	４	５
正解	×	×	○	×	×

番号	６	７	８	９	１０
正解	○	○	×	×	×

番号	１１	１２	１３	１４	１５
正解	○	×	×	○	×

番号	１６	１７	１８	１９	２０
正解	×	○	×	×	○

番号	２１	２２	２３	２４	２５
正解	×	×	○	○	×

択一法

番号	１	２	３	４	５
正解	ハ	ハ	ニ	ニ	ロ

番号	６	７	８	９	１０
正解	イ	イ	イ	ロ	イ

番号	１１	１２	１３	１４	１５
正解	ニ	ハ	ハ	ニ	ニ

番号	１６	１７	１８	１９	２０
正解	ロ	ハ	ニ	ハ	ロ

番号	２１	２２	２３	２４	２５
正解	イ	ニ	ロ	ハ	ニ

令和３年度　２級　学科試験正解表
造園（造園工事作業）

真偽法

番号	１	２	３	４	５
正解	○	X	X	X	○

番号	６	７	８	９	１０
正解	○	○	X	○	○

番号	１１	１２	１３	１４	１５
正解	○	X	○	○	X

番号	１６	１７	１８	１９	２０
正解	○	X	○	○	○

番号	２１	２２	２３	２４	２５
正解	○	X	○	X	○

択一法

番号	１	２	３	４	５
正解	ハ	ニ	ロ	ニ	ロ

番号	６	７	８	９	１０
正解	イ	ハ	ロ	ニ	ニ

番号	１１	１２	１３	１４	１５
正解	ハ	ハ	ニ	ニ	イ

番号	１６	１７	１８	１９	２０
正解	イ	ロ	ニ	ロ	イ

番号	２１	２２	２３	２４	２５
正解	ハ	イ	イ	イ	イ

令和５年度　１級　学科試験正解表
造園（造園工事作業）

真偽法

番号	１	２	３	４	５
正解	○	×	○	×	×

番号	６	７	８	９	１０
正解	○	×	○	×	○

番号	１１	１２	１３	１４	１５
正解	○	×	○	○	○

番号	１６	１７	１８	１９	２０
正解	×	×	○	×	×

番号	２１	２２	２３	２４	２５
正解	○	○	○	○	×

択一法

番号	１	２	３	４	５
正解	ハ	イ	ハ	ニ	ニ

番号	６	７	８	９	１０
正解	ハ	イ	ニ	ロ	ハ

番号	１１	１２	１３	１４	１５
正解	ロ	ニ	ニ	イ	ハ

番号	１６	１７	１８	１９	２０
正解	ロ	イ	ロ	ハ	ニ

番号	２１	２２	２３	２４	２５
正解	ロ	ハ	ニ	イ	ロ

令和４年度　１級　学科試験正解表
造園（造園工事作業）

真偽法

番号	１	２	３	４	５
正解	×	○	×	○	○

番号	６	７	８	９	１０
正解	○	×	×	○	×

番号	１１	１２	１３	１４	１５
正解	×	○	×	○	○

番号	１６	１７	１８	１９	２０
正解	×	○	○	×	○

番号	２１	２２	２３	２４	２５
正解	○	○	○	×	×

択一法

番号	１	２	３	４	５
正解	ハ	イ	ハ	イ	ニ

番号	６	７	８	９	１０
正解	イ	イ	イ	ロ	ニ

番号	１１	１２	１３	１４	１５
正解	ニ	ロ	ロ	イ	ロ

番号	１６	１７	１８	１９	２０
正解	ニ	ロ	イ	イ	ロ

番号	２１	２２	２３	２４	２５
正解	ニ	ロ	ニ	ロ	ロ

令和3年度　1級　学科試験正解表
造園（造園工事作業）

真偽法

番号	1	2	3	4	5
正解	X	X	○	○	X

番号	6	7	8	9	10
正解	○	○	○	X	X

番号	11	12	13	14	15
正解	○	X	○	○	X

番号	16	17	18	19	20
正解	○	X	○	○	○

番号	21	22	23	24	25
正解	X	○	X	○	○

択一法

番号	1	2	3	4	5
正解	ロ	イ	イ	ハ	ニ

番号	6	7	8	9	10
正解	ハ	ロ	ニ	ニ	ニ

番号	11	12	13	14	15
正解	イ	ロ	イ	イ	ニ

番号	16	17	18	19	20
正解	ハ	イ	ニ	ハ	ロ

番号	21	22	23	24	25
正解	ニ	イ	ロ	ニ	イ

・本書掲載の試験問題及び解答の内容についてのお問い合わせには、応じられませんのでご了承ください。
・その他についてのお問い合わせは、電話ではお受けしておりません。お問い合わせの場合は、内容、住所、氏名、電話番号、メールアドレス等を明記のうえ、郵送、FAX、メール又はWebフォームにてお送りください。
・試験問題について、都合により一部、編集しているものがあります。

令和3・4・5年度
1・2級 技能検定　試験問題集　90　造園

令和6年4月　初版発行

監　修　中央職業能力開発協会
発　行　一般社団法人 雇用問題研究会
〒103-0002　東京都中央区日本橋馬喰町1-14-5 日本橋Kビル2階
TEL　03-5651-7071（代）　FAX　03-5651-7077
URL　https://www.koyoerc.or.jp
印　刷　株式会社ワイズ

223090

ISBN978-4-87563-689-2 C3000